Vero

Je te souhaite tout
le bonheur possible
la paix
la paix

pensées
Syl

CLAIR-OBSCUR

Clair-obscur

nouvelles de
Marie-Ève Belzile, Stéphanie Boutin, Annie Chrétien,
Dahlia Mees, Pascal Mornac et Sylvain Thévoz

IMAGES D'IVOIRES
L'instant même

Maquette de la couverture : Anne-Marie Guérineau

Photographie de la couverture : Ève Cadieux

Photocomposition : CompoMagny enr.

L'instant même
865, avenue Moncton
Québec (Québec) G1S 2Y4
info@instantmeme.com
www.instantmeme.com

Images d'Yvoires
3, Rue de Chevelipont
1490 Court-Saint-Étienne
Belgique
images.d.yvoires@skynet.be

Distribution pour le Québec : Diffusion Dimedia
539, boulevard Lebeau
Saint-Laurent (Québec) H4N 1S2
general@dimedia.qc.ca

ISBN L'instant même : 2-89502-178-3
ISBN Images d'Yvoires : 2-930355-10-7

Dépôt légal – 4e trimestre 2002

Ce livre a été réalisé grâce à l'appui de l'Agence Québec/Wallonie-Bruxelles pour la jeunesse (AQWBJ).
L'instant même remercie le Conseil des Arts du Canada, le gouvernement du Canada (Programme d'aide au développement de l'industrie de l'édition), la Société de développement des entreprises culturelles du Québec et le gouvernement du Québec (Programme de crédit d'impôt pour l'édition de livres – Gestion SODEC).

ANNIE CHRÉTIEN
Hull

Les conserves

Au premier coup d'œil, le visage de l'homme m'avait paru familier. Un visage singulier, cireux et gonflé. Éteint. Des yeux noirs à peine ouverts, de larges fentes cachées derrière d'épaisses lunettes à verres grossissants. Je ne savais où j'avais pu croiser ce petit homme rond et bas sur pattes ; je ne pouvais vraiment dire qui il me rappelait. Peut-être l'avais-je vu un soir dans l'autobus, peut-être ressemblait-il à un de mes anciens professeurs du collège. Je n'arrivais pas à bien me souvenir.

C'était un dimanche après-midi pluvieux et venteux. Une journée sombre et pleine d'ennui. Assis chez moi devant un match de football, je combattais le sommeil en mangeant des craquelins au fromage et des betteraves en conserve à même le pot. J'employais toute ma concentration à tenter de pêcher un morceau récalcitrant lorsque j'entendis frapper trois petits coups secs à la porte. Je fus intrigué : mon visiteur n'avait pas eu à sonner pour entrer dans l'immeuble. Je me suis dit qu'il devait s'agir d'un vendeur itinérant allant de porte en porte, qu'un insouciant avait laissé monter sans tenir compte de l'interdiction affichée sur la porte vitrée du rez-de-chaussée.

Je décidai de le faire entrer, histoire de me distraire un peu. J'ai toujours trouvé amusant de regarder un vendeur exécuter ses singeries, chanter ses louanges, sortir sa panoplie, offrir ses échantillons, faire démonstration après démonstration pour ensuite se voir claquer la porte au nez. Tant pis pour l'importun. J'enfilai mes pantoufles, secouai les miettes de craquelins tombées sur mon pantalon de pyjama et allai ouvrir.

Il est entré en souriant, sans rien dire, comme s'il se savait attendu. Il portait une casquette d'aviateur sur son crâne chauve et une cape beige à carreaux qui lui donnaient l'air du docteur Watson déguisé en Sherlock Holmes. Il chaussait des bottines de caoutchouc rouges qui ne lui allaient pas du tout et qui détonnaient avec le reste de son costume. Sa main gauche agrippait le pommeau argenté d'une canne trop longue pour lui tandis que sa main droite tenait fermement une petite valise en carton gondolé, à carreaux comme le reste. Le petit homme portait sous le bras gauche un énorme chat jaune, tout ébouriffé et à l'air mauvais, qui se tenait les quatre pattes tendues dans le vide, tout à la fois mystérieusement immobile et figé et prêt à bondir à la moindre inattention de son maître. On aurait dit la statue d'un chat effarouché. Ses yeux fauves qui guettaient mes mouvements m'assurèrent toutefois que la bête était bien vivante... et prête à tuer si on se fiait au grondement farouche qui en émanait.

Ce n'est que lorsque je l'eus débarrassé de ses vêtements d'extérieur et fait asseoir dans un fauteuil qu'il consentit à prendre la parole, mais si peu. Il m'a peut-être dit son nom, mais je ne me rappelle plus. J'étais trop surpris de découvrir qu'il était anglophone. À en croire son accent nasillard et traînant, il arrivait tout droit du sud des États-Unis. C'est d'ailleurs probablement à ce moment-là que j'aurais dû le reconnaître. Bien que je comprenne généralement bien l'anglais, je dus le faire répéter quatre fois avant de saisir qu'il venait me proposer ses services. Lesquels, il ne me le dit pas immédiatement.

Nous étions assis face à face, en silence, dans mon salon étroit. Son gros chat s'était couché sur ses pieds. Tout hérissé, il grognait en fixant le plafond. Le petit homme rond se tenait droit comme une barre, les mains posées sur les genoux usés de son pantalon de velours noir et m'observait amusé derrière ses verres grossissants. Sa bonne humeur m'agaçait. Je le trouvais impoli. On aurait dit qu'il était venu chez moi expressément pour se payer ma tête. Et puis, quelque chose dans son visage clochait. Tandis qu'il me souriait bêtement, je le scrutais. J'étais complètement obnubilé par ses traits. C'était comme si ses muscles faciaux ne bougeaient pas lorsqu'il parlait ou souriait. À l'exception de sa bouche, seule à se mouvoir, son visage entier restait impassible, rigide et figé.

Plus rien n'avait été dit depuis qu'il s'était présenté. Je ne savais toujours pas ce qu'il avait à offrir. Il me souriait et j'attendais. Il me regardait, bienveillant et immobile, sans jamais me quitter des yeux, si intensément qu'il en devenait inquiétant. Il ne suivit même pas mon regard lorsque je levai la tête vers l'horloge. Du coin de l'œil, j'avais eu l'impression que les aiguilles tournaient à reculons. Je clignai des yeux : elles suivaient de nouveau le sens horaire, mais me parurent égrener trop rapidement le temps, puis ralentir jusqu'à s'arrêter pour reprendre leur parcours régulier quelques secondes plus tard. Je n'aimais pas du tout ce genre de manifestation. Dans ces occasions, je craignais toujours de devenir fou ou de mourir. J'eus peur de m'être empoisonné. Je me touchai le front. Tiède. Je ne suais pas vraiment non plus. Ma gorge me parut normale. Je n'avais pas exagérément soif. Pendant que je m'inquiétais de ma santé mentale et physique, il me fixait moi, moi qui m'énervais en regardant l'horloge. Impassible, immobile dans mon salon, l'inconnu m'observait en silence. Il ne broncha pas non plus lorsque je me penchai pour ramasser un craquelin sur la moquette tachée de jus de betterave. Il baissa à peine les yeux pour ne pas me perdre du regard. Il me fixait. Il me fixait. Il ne cessait de me fixer et je commençais à avoir peur de lui. Plus il me regardait, plus j'avais envie qu'il parte, moins j'étais curieux. Quels que pussent être ses services, ils ne m'intéressaient pas. Je n'avais besoin de rien.

Son petit jeu avait assez duré. Il fallait que je brise la glace, qu'il me déballe son histoire et qu'il parte. Je n'aimais pas du tout son attitude. N'en pouvant plus de cette attente et de son regard sur moi, je tentai, avec force gestes pour rendre mon français compréhensible, de lui offrir quelque chose à boire ou à manger. Il refusa l'offre non sans souligner, un sourire dans la voix, qu'il avait un estomac de béton, qu'il pouvait tout digérer, même les légumes marinés. Il était à l'épreuve de tout. Je lui souris poliment, sans comprendre. Je sentis toutefois qu'en parlant, il cherchait quelque chose dans mon regard : une lueur de compréhension ou de crainte.

Un silence lourd et malsain se réinstalla entre nous. Un silence qui prenait des allures de combat intérieur et de lutte intellectuelle. Nos regards se battaient en duel. Les énormes fentes de ses yeux gagnaient du terrain sur mon regard d'animal traqué. Sans vraiment savoir pourquoi j'étais si mal à l'aise, je me mis à suer à grosses gouttes. L'idée de l'empoisonnement me revint. J'avais des crampes d'estomac. Mon visiteur restait calme et détendu, comme un cousin en visite. Indifférent, aveugle à ma détresse.

Tout à coup, sans même avoir levé les yeux pour les contempler sur l'étagère, il me complimenta sur le réalisme de mes œuvres empaillées – une marmotte dressée sur ses pattes arrière, un petit suisse en fuite et une moufette prête à attaquer. Je le remerciai timidement. J'eus envie de lui avouer préférer naturaliser de grosses pièces, mais je me retins ; j'avais l'impression qu'il se moquait un peu de moi. J'attendis plutôt la suite des événements. Après un autre long silence, il me confia être lui aussi artiste. Sculpteur, laissa-t-il tomber comme s'il s'agissait d'une plaisanterie. Sa bouche forma un large sourire, mais son visage resta complètement froid et glacé tandis que son regard testait ma réaction. Nerveux et troublé par ce visage surréaliste, je souris aussi, sans me souvenir de ce dont j'aurais dû me souvenir.

Notre duel reprit. Le noir opaque de ses yeux s'ancrait dans le vert affolé et le blanc rougi de mon inquiétude grandissante. Il me donnait froid dans le dos. On aurait dit un cadavre ambulant, un spectre ou un hologramme. Chacun de nous semblait attendre que l'autre brise enfin le silence. Il ne me parlait pas, comme si je devais savoir, comme si je devais le reconnaître ou lui dire quelque chose de bien précis. J'attendais, puisque je n'avais rien à dire à un inconnu débarqué chez moi sans invitation. Peut-être s'était-il trompé de porte ? Je me tortillais sur mon siège. Il ne bougeait pas. Il souriait légèrement, immobile et bien droit. Son regard me transperçait. Couchée à ses pieds, sa vilaine bête – le Captain Kitty Cat, me l'avait-il tendrement présentée – demeurait elle aussi immobile et figée, le regard rivé au plafond du salon. C'était insupportable. J'oscillais entre l'exaspération et la frayeur. Je me mis à pianoter sur le bras du fauteuil. J'émis quelques soupirs, puis m'impatientai pour de bon et, usant de tout mon courage et d'un anglais approximatif, je lui demandai d'une voix chevrotante ce qu'il attendait de moi : « *Mister, what do you want from me ?* » J'eus envie d'ajouter un gros mot, mais aucun ne me vint à l'esprit. Sans que le reste de son visage ne bronche, son sourire s'élargit, laissant paraître de petites dents jaunes et pointues. Était-ce la question qu'il attendait ? Il paraissait tout à fait calme, indéchiffrable derrière ses grosses lunettes. Le petit suisse tomba de l'étagère et atterrit sur la moquette, devant le fauve jaune. Je sursautai violemment. Le chat pour sa part ne broncha pas ; il ne baissa même pas le regard. Le pauvre suisse s'était posé sur ses pattes et mimait la fuite.

D'une voix murmurée et nasillarde, mais étrangement enjôleuse, il s'avoua étonné par le fait que je ne connaisse pas la raison de sa visite. J'eus un mouvement de recul lorsqu'il se pencha brusquement pour caresser la grosse tête jaune du Captain qui fixait inlassablement le plafond. Laissant paraître un large sourire jauni dans son visage impassible, il poursuivit : « *I am really sorry,*

Berthier, I thought you knew. Terribly sorry. » Sa réplique me glaça le sang. Comment diable pouvait-il connaître mon nom ? « Berthieeeer », répéta-t-il en rigolant, emplissant la pièce de ce prénom affreux. Plus personne ne m'avait appelé ainsi depuis le décès de ma grand-mère, sept ans plus tôt. J'étais Albert. Je n'étais certainement plus Berthier. Il n'y avait plus de Berthier Laviolette. Qui était-il ? Que me voulait-il donc ? Je n'avais pas d'argent caché, pas même de carte de crédit. Pourquoi s'en prenait-il ainsi à moi ? Pourquoi faire revivre un passé effacé des mémoires ? En voulait-il à ma liberté ? À ma tranquillité ? Je fus pris d'une soudaine migraine. Je tentai sans succès de dissimuler le tremblement qui secouait mon corps entier. Il fallait que je lui demande de partir, mais je n'y arrivais pas. J'attendais la suite. Que voulait-il donc à Berthier ?

Il se leva théâtralement en chassant le Captain Kitty Cat de sur ses pieds. Le regard en l'air, l'animal courut se réfugier sous la table à café en maugréant dans son langage de chat. Mon visiteur alla chercher sa valise et la posa sur la table de la cuisine. Son visage était encore plus sinistre dans la lumière vacillante du lustre qui paraissait se balancer doucement au-dessus de sa tête. Il m'invita à m'asseoir devant lui.

Debout face à la table, immobile et l'air mort, il entreprit de m'expliquer sa conception du monde, comme si ses croyances allaient m'éclairer quant aux raisons de sa visite.

Il voulut me faire croire à l'existence de deux mondes qui n'en formeraient qu'un seul. Deux mondes parallèles, placés l'un sur l'autre : le royaume des vivants, où règne la lumière, et le royaume des taupes, peuplé de ténèbres. Deux mondes dans un, où les humains, les animaux et la végétation se superposent aux âmes des humains, des animaux et de la végétation. « Le problème, Berthier », susurra-t-il en français d'une voix claire et féminine qui me cloua sur place, « c'est que parfois des brèches se créent. Les morts n'arrivent pas à se rendre chez eux, ils restent coincés chez nous. Alors les ténèbres envahissent la clarté, l'ombre s'abat sur le monde et l'équilibre se perd. Il n'y a plus de dualité. On entre dans une zone grise. » Il marqua une pause. « Les ombres grouillent de taupes, elles sont pleines d'âmes ! » cria-t-il en français et cette fois je reconnus la voix de ma grand-mère. Aucune erreur ! Le poil de mes avant-bras se dressa. La pièce se mit à tourner. J'entendis le Captain Kitty Cat geindre comme si on tentait de l'égorger. Un cri dénaturé. Je crus être devenu fou. J'avais entendu la voix de ma défunte grand-mère ! Il fallait que cet homme parte de chez moi. Je vis le sourire de l'Américain s'élargir dans son visage mort. Mon visiteur semblait me fixer sans me voir, comme s'il regardait à travers moi.

Comme je croyais que c'en était fini de moi, il se ressaisit et, en anglais, me pria de l'excuser. Depuis son accident, il parlait parfois des langues qu'il ne connaissait pas. Je fis un effort monstre pour écouter ce qu'il avait à me raconter.

Il affirma être un agent du surnaturel spécialisé dans la libération d'âmes. « *I let go souls, Berthier, souls !* » cria-t-il en m'abattant de postillons, la bouche exagérément ouverte. Il avait levé mécaniquement les bras au ciel. Son visage restait fermé et son corps complètement rigide. Je sentis mon cœur arrêter de battre. Mes tremblements redoublèrent d'intensité. Indifférent, il me regarda m'énerver et reprit ses histoires pleines d'effroi. Il était devenu agent du surnaturel après son accident. Une indigestion foudroyante qui aurait dû le faire passer dans l'autre monde. Des betteraves en conserve bourrées d'arsenic, cadeau d'un voisin. Après avoir perdu la moitié de son poids, plusieurs mois de sa vie et son poste de professeur, il était revenu à la vie en ramenant avec lui le don des taupes. Il était pourvu d'une vision paranormale, une vision trouble, qui lui permettait de voir tout à la fois les deux mondes superposés. Il voyait les humains, les bêtes et les plantes tout comme il percevait clairement les âmes des humains, des bêtes et des plantes. Il disait vivre dans un monde surpeuplé. Une couche de surnaturel s'étendait sur sa vie. Même lorsqu'il fixait l'horizon ensoleillé, son regard était peuplé d'ombres : de taches noires qui lui rappelaient le vol désordonné de papillons de nuit attirés par la lumière. Il disait habiter un monde stroboscopique, un décor en ombres chinoises. Dans son univers, il n'existait plus de limite : l'ombre et la lumière cohabitaient à toute heure du jour ou de la nuit, le surnaturel se mêlait à la réalité, la folie embrassait le génie. Plus rien ne demeurait en place, tout se mélangeait dans une valse d'ombres vacillantes. Sa vie se déroulait dans un clair-obscur.

Il était venu chez moi pour me débarrasser des taupes qui peuplaient l'immeuble. J'ouvris la bouche pour tenter de l'en dissuader, pour lui faire comprendre qu'il n'y avait aucune « taupe » chez moi. Après tout, l'immeuble datait de 1988. Je n'émis toutefois aucun son. Je restai muet devant lui, complètement paralysé, impuissant. Il se radoucit. Il m'expliqua que le Captain Kitty Cat avait senti une présence chez moi. L'animal au flair infaillible s'était braqué devant mon immeuble.

Je me sentais étouffé, opprimé par l'air ambiant, par la folie qui se déchaînait sur moi. La tête me tourna et je m'évanouis quelques instants. Il ne sembla pas s'en rendre compte, ou s'en soucier, car lorsque je revins à moi, il m'expliquait que les chats perçoivent les âmes qui pour une raison ou une autre n'arrivent pas à traverser le pont entre les deux mondes. Celles qui errent à la recherche du passage. Les âmes prisonnières de mon immeuble voulaient partir. L'homme et le chat voyaient très bien les ombres qui se découpaient sur mon plafond. Il fallait les aider. Le petit homme allait régler mon problème.

Je ne savais que penser de toutes ces histoires. Autant j'étais complètement terrorisé par cet homme au regard lugubre, autant son récit me paraissait peu plausible et plutôt farfelu. Il y a la vie, il y a la mort et rien entre les deux : si je connaissais une vérité, c'était bien celle-là. Il n'y avait pas de fantôme dans l'immeuble. Mon visiteur souffrait probablement de cataracte ou d'un début de décollement de rétine. Ou alors, il se jouait de moi. Me prenait-il pour un fou ? Je connaissais cet homme, j'en étais presque certain, mais je n'arrivais pas à associer son visage macabre à un événement de ma vie. J'avais dû le connaître du temps où j'étais Berthier, puisqu'il avait usé de ce nom. Je crois que c'est ce qui ajoutait le plus à mon trouble. Il en savait beaucoup sur moi et en cela je le craignais. Voulait-il me faire chanter ? Avait-il des comptes à régler avec moi ? Qui qu'il soit, était-ce l'heure de sa vengeance ?

L'horloge sonna quatre heures alors que j'aurais juré qu'il était une heure plus tôt. Comme si mon visiteur eût craint d'être en retard quelque part, il ouvrit prestement sa valise et en sortit un tisonnier. J'eus un geste de recul. M'ignorant complètement, il se leva d'un mouvement sec et mécanique, immobile dans son action comme l'est d'image en image un héros de bandes dessinées. Il remit son manteau et son chapeau, mit le tisonnier sous son bras droit, son chat sous le gauche et reprit sa canne et sa valise gondolée.

Il déclara qu'il était maintenant temps de libérer ces pauvres âmes égarées. Il avait parlé d'une voix exagérément forte, presque crié. Il m'invita à venir avec lui à l'étage. Je le suivis, qu'aurais-je bien pu faire d'autre à ce stade des événements ?

J'étais derrière lui dans l'escalier sans rampe quand je l'entendis dire en français avec la voix murmurée de ma grand-mère : « Dis-nous maintenant, Berthier, qui sont ces gens cachés sous le plancher ? » Je fus glacé d'effroi. Je stoppai net mon ascension. Sans s'arrêter de monter, il se tourna vers moi penaud pour s'excuser en anglais, comme s'il avait commis une quelconque impolitesse. Le chat, coincé sous son bras, cracha à ma vue. J'étais blanc comme un drap, je tremblais de tout mon être, adossé au mur jauni. De nouveau, j'étais envahi par la peur. Je ne savais plus si je devais le croire, si je devais le suivre, si je devais fuir au plus vite. Je regrettai ne pas avoir apporté un couteau.

Je ne sais comment je suis parvenu jusqu'en haut des marches, ni pourquoi j'étais monté. Lorsque j'arrivai sur le palier, il était déjà entré dans l'appartement situé au-dessus du mien. J'entrai contre mon gré ne pouvant me résoudre à aller me barricader chez moi en abandonnant mon mystérieux visiteur. Je voulais savoir.

Il avait déposé son bric-à-brac et me faisait dos, son tisonnier à la main. À mon entrée, il se tourna vers moi, tout souriant, le visage mort. Il répéta : « Dis-nous maintenant, Berthier, qui sont ces gens cachés sous le plancher ? » La voix ne semblait pas émaner de lui. Elle venait de partout. Je ne pus répondre. Je me remis à trembler encore plus violemment que précédemment. Je secouais la tête pour me dire que tout cela n'était qu'un cauchemar épouvantable. La voix de ma grand-mère s'impatienta : « Dis-nous maintenant, Berthier, qui sont ces gens cachés sous le plancher ? Dis-nous maintenant, Berthier, qui sont ces gens cachés sous le plancher ? » Elle devenait hystérique. « Dis-nous maintenant, Berthier, qui sont ces gens cachés sous le plancher ? » Je n'arrivais pas à répondre, je n'arrivais pas à me sauver. « Dis-nous maintenant, Berthier, qui sont ces gens cachés sous le plancher ? » J'étais paralysé. Je le voyais rire à gorge déployée, mais il n'émettait aucun son. Il riait en balançant son tisonnier. Son visage restait glacé, ses yeux fendus braqués sur moi, impitoyables et cruels. Son chat reniflait le plancher, le poil hérissé, la queue énorme. « Dis-nous maintenant, Berthier, qui sont ces gens cachés sous le plancher ? » Je crus avoir une attaque. « Dis-nous maintenant, Berthier, qui sont ces gens cachés sous le plancher ? »

Je voulus m'agripper la poitrine, mais j'avais trop peur pour bouger le bras.

Insensible à mon trouble, il se remit à parler anglais, comme si de rien n'était. Il me demanda si j'étais étonné que mon voisin ne soit pas à la maison. Je n'avais même pas remarqué son absence. Je dis au petit homme qu'il était probablement sorti. L'Américain émit un petit rire méprisant et m'interrogea sur ce qu'il était advenu de mes plus récents voisins. Je ne compris pas. Je reculai, trébuchai sur la valise à carreaux et m'écroulai. Il insistait. Couché au sol, je lui dis d'une voix faible que je ne savais pas, que je ne me souvenais de rien. Il insista et insista, de plus en plus impatient, jusqu'à ce que je me souvienne enfin de l'étudiant qui écoutait de la musique à tue-tête. Pour autant que je sache, il s'était sauvé sans payer son loyer un soir de la fin octobre.

Il me sourit et sans me quitter des yeux, il approcha du salon, séparé de l'entrée par une marche très haute. Brusquement, il se détourna de moi et enfonça le tisonnier dans le plancher, entreprenant de briser les lames de bois. Insouciant, comme s'il s'agissait d'une tâche domestique, il sifflait gaiement en travaillant. J'étais toujours par terre, paralysé. Je ne pensais plus.

Il cessa tout à coup de frapper le plancher. Je me levai péniblement et approchai pour voir ce qu'il avait découvert. La curiosité l'emportait sur la peur. Je restai toutefois à une certaine distance. Il avait trouvé l'étudiant, les deux mains sur le casque de ses écouteurs, vêtu comme je l'avais aperçu la dernière fois : un jeans usé et une chemise rouge. Intact, mais raide mort. J'étais terrorisé !

L'Américain, qui sifflait toujours, se tourna vers moi. Il planta son regard dans le mien, semblant chercher une lueur de compréhension. Quelqu'un avait tué l'étudiant ! On aurait pu me tuer aussi. Cette idée m'obsédait. On aurait pu vouloir me tuer. Je me sentais faiblir. J'allais encore tourner de l'œil. L'homme traça un signe bizarre sur le front de l'étudiant et gémit quelque chose en allemand.

Son rituel accompli, mon tourmenteur se tourna vers moi et me demanda de nouveau ce qu'il était advenu de mes plus récents voisins. La mémoire me revint plus rapidement cette fois. Je me libérais de souvenirs que j'avais réprimés. Les gens de l'immeuble disparaissaient un à un. Je me rappelai la femme aux talons hauts. Il me sourit, se remit à siffler et, sans me quitter des yeux, enfonça le tisonnier dans le plancher, un peu à gauche de l'étudiant. Il cessa de me regarder pour mieux briser les lattes du parquet.

Il découvrit la femme en robe de soirée, qui faisait mine de se brosser les cheveux. Il lui traça un signe sur le front et récita sa prière tandis que je l'observais, immobile, à quelques mètres des tombes. Je me répétais sans cesse que j'allais être le prochain si je ne fuyais pas immédiatement. Je ne fuyais pas. La peur me figeait sur place. Le monstre qui traquait l'immeuble était probablement devant moi. Pourquoi ce petit manège ? Pourquoi déterrer ses propres morts ?

Il me questionna de plus belle et je me souvins des autres : de la vieille à demi sourde, qu'il retrouva morte un livre à la main et de son frère en marchette, étendu les mains en prière. Tandis qu'il libérait les âmes, la mystérieuse voix se fit entendre de nouveau : « Dis-nous maintenant, Berthier, qui sont ces gens cachés sous le plancher ? » Encore et encore. « Dis-nous maintenant, Berthier, qui sont ces gens cachés sous le plancher ? » Elle semblait résonner de partout, comme si elle sortait d'un haut-parleur. L'Américain me faisait dos, je ne pouvais pas voir s'il remuait la bouche. « Dis-nous maintenant, Berthier, qui sont ces gens cachés sous le plancher ? »

Je continuai à me souvenir et le charnier s'élargissait. Il y eut encore le divorcé aux enfants de week-end agités, mort sous le plancher un jouet d'enfant à la main, et le couple colérique, enlacé tendrement.

Lorsqu'il les eut dégagés, mon visiteur se tourna vers moi et, avec la voix de ma grand-mère, me demanda doucement s'il restait un voisin mal advenu : « Dis-nous maintenant, Berthier, reste-t-il des gens sous ce plancher ? » Il n'y avait plus d'espace, je le voyais bien, mais je me dis que s'il me le demandait, c'est qu'il savait quelque chose. Je voulais gagner du temps. Était-il venu me tuer ou me sauver ? Que savait-il ? Qui était-il ? Comme je me posais la question, la mémoire me revint soudainement. Je me souvenais de tout ! Je savais qui il était.

L'agent du surnaturel me regardait, bienveillant, souriant légèrement, le tisonnier sur l'épaule. Je me souvenais maintenant de mon premier voisin, du sculpteur noctambule au chat aux griffes trop longues. Je reconnaissais son visage singulier, cireux et gonflé, et ses yeux noirs à peine ouverts cachés derrière d'épaisses lunettes à verres grossissants. Il n'était plus tout à fait le même. Dans mon souvenir, il avait le teint moins blême, les traits plus vivants, mais c'était bel et bien lui. Je savais où j'avais croisé ce petit homme rond et bas sur pattes. Je savais qui il était.

Je m'élançai vers la sortie. Je pris la fuite. J'entendis son rire sinistre derrière moi. Je ne me retournai pas ; je ne me retournai jamais. Je courus à en perdre haleine dans les rues presque désertes de la ville en m'étonnant de ne pas sombrer dans l'inconscience. Je courus sans ralentir, en ligne droite, sans destination. Au loin, j'entendais le rire mélodieux de ma grand-mère et sa voix douce qui me répétait sans cesse gaiement : « Où vas-tu donc, Berthier ? Où cours-tu donc, les yeux ainsi fermés ? Où vas-tu donc, Berthier ? Où cours-tu donc, les yeux ainsi fermés ? » Comme elle parlait, je les entendais qui riaient ensemble. Ils riaient et riaient. Le grondement du chat se superposait à leur voix. J'entendais aussi l'Américain qui sifflait. Tout se mélangeait, plus rien n'avait de frontière. Les voix, les cris, les rires et les sifflements, tous d'un même souffle, me suivirent longtemps en résonnant si clairement que je me demandai s'ils émanaient de moi.

Autour de moi les ombres vacillantes grandissaient ; elles se mêlaient les unes aux autres sans que je puisse dire s'il faisait nuit ou jour.

DAHLIA MEES
Bruxelles

Nature morte

À l'avant-plan, un personnage solitaire semble errer dans une immense caverne voûtée. Sa tête tournée vers un point de fuite indistinct que l'on imagine tout au fond d'une allée sombre. Une main divine émerge d'un nuage en signe de bénédiction. *Deus ex machina* n° 3.1416, ponctué d'une petite pastille rouge « Réservé », juste à côté de l'estampe *Branche fleurie aux deux oiseaux* n° 3.1417. Le catalogue est disponible à l'entrée. Une femme s'avance, elle s'appuie légèrement sur le bras d'un homme, surprise par le moelleux du tapis où son talon a vacillé. Ils sourient parce qu'ils viennent d'acquérir le n° 3.1417.

À force de les relire et de revenir en arrière, les paysages et les personnages de mes vidéo-souvenirs s'usent. Les points blancs neigeux s'accumulent maladivement avec un bruit de pluie électronique. Des lignes blanches se dessinent comme des pistes insensées. Autocensure. Je deviens très triste loin de toi. Vraiment très triste et crispée : les battements de... mon... cœur... sont... devenus... des... spasmes. Ta perte m'est tumeur et je scrute quotidiennement le gouffre béant que tu as laissé en moi. Au fond, je n'étais qu'une cavité, une carcasse consentante à tes larves et je ressens toute la laideur organique du manque.

Tu étais le mur contre lequel je m'étais bâtie, le secret autour duquel j'avais façonné ma perle, je garde en moi ton empreinte, fragment archéologique dont je fais objet de mémoire.

Personne ne sait. Il ne faut pas que l'on sache. Moi-même, je ne veux pas le savoir et toi, tu ne le sais pas.

Si tu le savais, tu me l'aurais dit car on se disait tout, n'est-ce pas ? Tu ne me l'as pas dit toi-même. Tu l'ignores donc.

On m'a annoncé ton départ comme une conspiration. J'ai arrêté de respirer. C'était si inattendu que je n'ai pas pu m'organiser, aucune plage horaire, aucun endroit pour pleurer librement. Je me suis cachée dans les toilettes, ce lieu sordide où s'écoulent nos eaux usées. Personne n'a remarqué quoi que ce soit. Nous n'avions pas décidé de notre prochain rendez-vous. Il n'y a donc ni malentendu ni trahison entre nous.

J'ai pris congé pour témoigner et il me reste ce désagréable souvenir de ton corps : du linceul magnétique et des fantômes blancs qui dansaient autour de nous, des questions que l'on m'a posées. La puissance de mon désir a balayé toute prévention, j'ai dit oui et j'ai signé le pacte. C'est un papier bleu pâle très sobre, à choix multiples. Ils ont immédiatement entamé les procédures. Je suis restée à tes côtés au moment de ton immersion, je t'ai bordé comme un enfant que l'on noie : doucement avec mes mains gantées. Lorsque je te parlais, cela faisait sourire les infirmières.

On a découvert beaucoup de choses depuis que tu es parti. On pourrait te ressusciter molécule par molécule, te faire grandir jusqu'à l'âge adulte en gardant ton corps intact et pur, cultiver chacune de tes cellules et remplacer tous tes os, ta peau, tes organes s'ils étaient défaillants. On pourrait te reproduire par clonage, te doubler ou plus encore, créer des bataillons entiers de toi pour mettre en scène tes propres contradictions. Je pourrais moi-même te recréer, t'éduquer et faire de toi mon frère, mon fils, mon père, mon héros, mon époux, ma victime. Créé d'eau et de terre, la Science ferait de toi un homme non issu de la femme, l'égal d'un dieu. Tu serais un surhomme par ma simple volonté.

Les souhaits se réalisent toujours lorsqu'on les formule avec un cœur pur. J'ai demandé et l'on m'a donné.

J'admire le mouvement circulaire du liquide dans lequel baigne ton corps nouveau, magnifique. Il y a autour de toi la douce lueur ambrée des lampes nourrissantes. Sans fin, je contemple le pli de tes lèvres souriantes, tes paupières baissées frémissantes, ton front lisse et serein. J'ai même serré ta main plus grande que la mienne et caressé ta chevelure souple comme une algue.

La Science nous a dressé la cartographie du tendre et cela me donne l'espoir d'un jour retrouver le chemin magnétique de ton cœur. Du striatum au lobe d'insula via le cingulum et le cortex préfrontal, nous baliserons les voies pour te ramener à toi-même. Ton corps est prêt.

La semaine dernière, tu sais que nous avons tenté de recréer ta vie avec mes souvenirs, par inoculation d'impulsions-répulsions mémoire, par greffes de cellules de ton cerveau dans ce corps d'essai. On m'a fait parler dans un appareil confessionnel, raconter tous les détails de notre relation, de nos vies et la durée de l'enregistrement est d'au moins une semaine ! Tu rirais de moi, n'est-ce pas ?

Ces enregistrements t'ont été transmis par petits flashes lumineux, semblables à une tempête magnétique au sommet de la Terre. Petits mondes...

J'espère et j'attends... J'espère, j'espère et j'attends... J'attends les résultats, demain...

Les médecins m'ont cependant expliqué qu'ils ignoraient toujours certaines choses essentielles de toi. Ils n'ont pas encore réussi à situer le lieu sacré de ton être, le repli de ton corps où tu sécrétais la substance chimique de notre amour et de mon souvenir. Le trouble ne cesse de grandir en moi : par quel moyen pourrons-nous saisir ton âme ? Celle qui m'a connue et aimée ? Dans quelle dimension quantique réside le souvenir de notre passion ? Me reconnaîtras-tu au moment de ta résurrection ?

Cela fait plusieurs mois que le travail a été entamé. Le groupe de psychologues du SPC[1] m'a expliqué la complexité du problème et l'attitude à adopter dans ces circonstances. Je suis venue chaque semaine te voir grandir et te parler, inventant chaque fois un nouveau prétexte pour m'échapper. Rendez-vous volés et heureux, folle impatience de l'attente !

1. Soutien aux Proches de Clones.

Hier, avec l'émoi d'une jeune fille amoureuse j'ai guetté la boîte aux lettres, arrivant à peine à dissimuler la rougeur de mes joues. Enfin à 9 h 16, la languette métallique de la boîte s'est soulevée et une main a enfoncé la lettre comme un couteau dans mon cœur. J'ai arraché l'enveloppe :

Clinique Centrale de Clonage Humain
Dr S. A*******
31 mars 203*

Madame,

Avec nos plus vifs regrets, nous ne sommes pas en mesure de pourvoir à votre demande d'insertion spirituelle étant donné le caractère lacunaire des données d'âme que vous nous avez fournies.

Le clone matriciel reste néanmoins à votre disposition.

Comme convenu, nous nous engageons à vous restituer dans les plus brefs délais le lot complet des zones sentimentales prélevées sur le défunt.

Veuillez agréer, Madame, l'assurance de notre considération distinguée.

Je me suis doucement effondrée avec le monde. La réponse m'a éteinte, mais on m'avait déjà insidieusement préparée. J'ai réussi à gérer la brusque chute de tension, le recul énergétique et la trappe mentale qui s'ouvrait sous moi. J'ai respiré comme ces femmes qui accouchent en haletant et je me suis assise le regard dirigé vers la sortie.

Les couloirs de la clinique sont longs et blafards. Les néons, surtout le soir, nous donnent un teint de boucherie. Je me suis sentie viande, de même que ton nouveau corps qui dort là-bas, dans la chambre d'éveil.

Dans la chapelle de l'hôpital, l'eau lacrymale a béni mon visage et mes mains. Les larmes ont ensuite tout brouillé, effacé et nettoyé efficacement. C'est un fluide naturel que l'on peut également se procurer en pharmacie sous l'appellation de « sérum physiologique » et que j'utilise quotidiennement comme démaquillant (par économie de moyens).

Aujourd'hui, je suis amère. J'ai peu d'espoir que notre technologie puisse te rendre la vie de ta vie, le secret de ton secret. Quel programme informatique pourra jamais percer le voile de ce que tu ignorais toi-même ? Ce creux en toi que tu essayais de définir par l'absurde ? Les écrans, même en veille, continuent à s'animer. Je ne peux croire qu'il n'y a plus rien après/avant, juste là, maintenant, quand je suis devant ton corps. Je pourrais te faire mal, te blesser dans ton aquarium. Te réveilleras-tu ? Feras-tu cesser ce clignotement monstrueux de la veilleuse bleue, ce cliquetis métallique de ta respiration robotisée et ciller la ligne de ton électrocardiogramme ? Es-tu devenu une machine ?

Alors tu es vraiment mort et ta mort me tue parce que je suis aussi morte pour toi.

La vie ou une de ses formes hypocrites a fait mine de continuer. Je me déplace, je me nourris, je défèque, je dors, je m'éveille, je me lave, je me coiffe, je traverse l'espace et les choses, je regarde par la fenêtre. Personne n'a remarqué mon regard aveugle, mon visage inexpressif ou le petit vacillement de mes mains, de mes jambes ou de mes talons sur le parquet lorsque l'émotion me submerge. La gardienne d'immeuble continue à me saluer en souriant et deux oiseaux dans les arbres s'ébattent bruyamment.

Éphémérides d'un jour sans horoscope. La terre a fait son grand tour et tu ne cesses de me regarder du coin du salon où tu es posé. Droit et fixe, l'instant immobile de ton regard me transperce, mais je sais que tu me souris et que ce sourire est inaltérable car c'est moi qui ai pris la photo, avant.

Profondément et infiniment, je t'insulte et te supplie parce que je me sens exister malgré toi. Pourquoi continues-tu à sourire lorsque je hurle devant toi ?

« Mon Dieu, as-tu perdu l'esprit ? Ne vois-tu pas combien je souffre ? » Ce n'est que la photo d'un mort après tout. (Rire dément)

L'écran de la télévision clignote dans la nuit et mes yeux papillonnent :

(Voix off)

Ces peuplades reculées survivent aux confins du monde civilisé... d'après leurs croyances, ce qui est matériellement impossible peut se réaliser dans une autre dimension... symbole sacré du monde des esprits... déesse-mère... cosmos...

T'es-tu déjà réveillé en plein rêve ? Je veux dire DANS un rêve ?

Je dormais encore.

La lumière du jour m'a surprise dans le grand canapé, le corps un peu fripé. Je me suis levée, j'ai bu un grand verre d'eau. Vraiment grand. Mon visage était pâle dans le miroir et j'avais faim.

Je me suis habillée puis j'ai ramassé un peu d'argent qui traînait sur la table, je suis descendue et j'ai ouvert la porte. La rue était claire et l'on sentait une vague d'effervescence printanière. Un vent léger soulevait le feuillage et son frémissement velouté se dissipait amoureusement dans l'atmosphère.

L'épicerie du bas de la rue venait d'ouvrir. Nouveau propriétaire, nouveaux produits, biologiques cette fois. Le monde change, vacille sur son axe durant des milliers d'années et le temps de nos vies nous semble si linéaire, si plein de gravité. J'entre dans la nouvelle épicerie. Il y a peu de monde et je n'ai plus faim. L'odeur d'épices m'exaspère et je prends une tisane d'herbes calmantes pour justifier ma présence. À la caisse, un vieil homme à tête d'Indien prend son temps. Il me rappelle les images de la télévision hier soir : « ... aux confins du monde civilisé... » Il me sourit gentiment puis, d'un souffle éraillé, interpelle un client : « Vous pouvez ramener vos vidanges ! » Le mot « vidange » résonne dans ma tête et j'imagine instantanément des milliers de bouteilles vides défilant sur un tapis roulant, leur rinçage, leur recyclage et l'eau pure qui les remplira à nouveau. Corps sans âmes. Ramener les vidanges à la source. LA source des corps.

J'eus la sensation d'une éclaircie située dans une zone inconnue de mon esprit. Une toile percée d'un trou inattendu d'où s'échapperait un rai de lumière. J'acquis la ferme conviction que mon épicier était une sorte de chaman biologique. Cela me fit sourire. Cela t'aurait fait sourire aussi.

Pour ramener une âme, il faut d'abord savoir d'où elle est venue et où elle est partie.

Dehors, je devinais le Grand Esprit du printemps battant contre les vitres et le jardin encore nu ondulant doucement. Mon siège grince lorsque je recule. J'ai appuyé sur « Envoyer » et l'e-mail s'est envolé à une vitesse proche de la lumière : ma demande transmise plus directement qu'une prière sous forme d'électrons-volts à ange@paradis.com. Ils m'ont très vite répondu :

Bonjour,

Nous te remercions de l'intérêt que tu portes à notre site.

Objet : réponse à ta question « Où va l'âme après la mort ? »

L'âme existe avant la naissance et survit après la mort du corps physique. Elle est le centre créateur de son propre univers, le Soi véritable relié au Monde. Selon les traditions et la plupart des croyances, les âmes défuntes rejoignent un lieu où elles se rassemblent avant d'être jugées puis redistribuées selon leurs mérites dans de nouvelles vies, sur terre ou ailleurs... La transmigration des âmes ou réincarnation permet à une âme de s'incarner dans un corps nouveau ou même dans plusieurs corps afin d'expérimenter de nouvelles sensations et d'essayer de se perfectionner...

Hérétique matérialiste, coquille incrédule, qui nous apprendra la vérité du monde ? La duplication du corps n'implique pas celle de l'âme. L'étoile de notre naissance n'a pas de code à barres et notre âme nous a été inoculée comme un vaccin afin que nos corps soient immunisés contre l'indifférence de la matière et les allergies émotionnelles. L'âme est un macérat d'étoiles, un big-bang de lumière froide dont le spectre n'est visible qu'au cœur nu.

Bien que ma quête du Graal ne soit pas achevée, je sens que le fil qui nous lie n'est pas rompu, qu'il se tend et se détend souplement, comme celui de l'araignée qui ne confond pas le souffle balancé du vent dans sa toile avec le spasme horrifié de l'insecte piégé. Je me jetterai volontiers dans la toile pour susciter ce tremblement d'Amour, ce frémissement du fil qui te relie afin que tu accourres, que tu tisses autour de moi un cocon blanc semblable à celui des chenilles au cœur desquelles se transmute le corps, que l'âme accède au nouveau monde. Je te laisserai ingérer ma substance et te nourrir de moi. Hostie ronde.

J'ai tenté plusieurs fois de te rejoindre, mais il n'y a pas vraiment d'agences pour ce genre de voyage. Je voudrais un aller simple pour rejoindre ta patrie de lumière et connaître ces vitesses infinies où se désintègre toute sensation. Je veux être à jamais avec toi, me transformer en arbre : végétal édénique, autotrophe, simplement nourri de lumière. Je veux que mes veines deviennent vaisseaux dans lesquels circulerait la sève essentielle de la Connaissance. Ne plus avoir besoin de chercher et flotter face à face éternellement avec toi. Je ne cesse de scruter les miroirs, mais les vampires n'ont pas de reflet. À force de larmes, la poche de ton absence devient œdème puis se vide, comme les menstrues d'une fécondation déçue. Chaque fois, je reviens là où tu n'es plus ; à moi-même et en vain.

J'ai appris que le suicide n'est pas une solution efficace. À long terme, mieux vaut compter sur l'auto-élimination par somatisation : concentrer le mal dans une partie de son corps puis, évacuer l'infection cynique par voies naturelles.

Nécromancie et spectres, j'ai goûté à ce breuvage amer, j'ai aussi étiré mon être en un fil de pure énergie couronné en silence au soleil de minuit. J'ai déliré d'une fièvre pâle et enfourché cette monture jusqu'à ton royaume où plus rien n'est à conquérir. Cime de folie d'où l'accent circonflexe est absent, que l'on chevauche en abyme. J'ai connu le lieu où migrent les âmes. Où est la tienne ? Je me suis trouvée égocentrique, circulaire et sans profondeur.

Peut-on se réincarner dans sa propre vie ?

Alors j'ai fait vœu de silence.

Suspendu au mur, vu de face, le rectangle sombre du tableau. Toile baroque : à l'avant-plan, un personnage solitaire semble errer dans une immense caverne voûtée. Sa tête tournée vers un point de fuite indistinct que l'on imagine tout au fond d'une allée sombre. Une main divine émerge d'un nuage en signe de bénédiction. Luisant dans l'ombre, la plaquette cuivrée portant le titre : *Deus ex machina.* Anonyme. Au dos colle encore une vieille étiquette n° 3.1416.

De cercle, je deviens spirale en un mouvement ascendant naturel. Le point depuis lequel on fuit est dans l'ombre car c'est au spectateur, en pleine lumière, que l'on donne le recul nécessaire pour envisager toute la perspective. Appréciez l'emphase du geste de la main divine, semblable à celui de l'homme créé à son image.

La surface peinte est un mensonge éloquent. Par la magie du trompe-l'œil, l'image à deux dimensions évoque ce qui ne se peut qu'en soi-même. L'idée ricoche sur ce miroir d'âmes et laisse sans reflet.

Je me suis levée et j'ai téléphoné à la clinique.

Vifs remerciements de la Science reconnaissante. Oui, c'est fait, j'ai légué ton clone matriciel à la Science. Ce corps sans âme ne te ressemblait pas, inexpressif et creux. Il me pesait de visiter cet organisme artificiel et inerte baignant dans son liquide amniotique synthétique. À la clinique, ils ont manifesté une certaine satisfaction, heureux de pouvoir se réapproprier ton corps et taire les traces de leur échec. Cela ne m'a pas émue de te voir disparaître une seconde fois. Cette réplique de toi n'avait rien à voir avec mon souvenir.

Je suis seule à présent. Je pense à toi plus que jamais et je réorganise ma vie : il n'y a plus de bouteilles vides à la maison, j'ai mis des fleurs au balcon et tous les matins je jette du pain aux oiseaux.

Le monde a changé depuis ton départ. J'ai changé aussi, mais je ne sais pas si c'est bien. M'aimeras-tu encore après toutes ces années ?

Nous en sommes revenus à d'anciennes méthodes. Les médecins ont constaté que la culture de clones en milieu synthétique provoque de plus en plus souvent le rejet affectif et l'abandon des familles. Alors j'ai pris ma décision : je pense avoir enfin trouvé une voie sereine et acceptable pour nous deux.

Je te parle beaucoup de moi, mais, à ton retour, je ne dirai plus rien. Je ne te raconterai pas comment un matin, je me suis allongée pour te recevoir, comment par la grâce de l'Esprit Saint, tu t'es glissé en moi et comment un rai de lumière a activé ton éveil. Cela fait maintenant huit mois que j'ai reçu l'embryon de ton nouveau clone, huit mois que je le nourris de mon propre sang au rythme assourdissant des battements de mon cœur. Et mon cœur te parle, te raconte son rêve.

C'est la gestation de la mère, le ventre de la femme qui attire l'âme nouvelle, cette étincelle du corps à naître. C'est la mère qui reçoit l'âme et la tisse intimement au corps de son enfant. La femme enceinte d'amour est un jardin clos : porteuse de deux âmes, l'une fécondant l'autre. Je suis l'athanor et tu es le feu. Ton corps est dans le mien et dans ton corps il y a une part du mien. Je vois en moi les reflets de nos miroirs intérieurs. J'ai l'image de deux amants à la tête coupée : l'un posant sa tête au-dessus du corps de l'autre, fusion parfaite de la Materia prima et de l'Anima. Vision de l'androgyne céleste.

Personne, ni eux, ni toi, ne connaîtra la genèse de ta nouvelle existence. L'ignorance sera notre jardin d'Eden et moi seule serai le fruit. Je sais que tu renaîtras inconscient de ton passé, amnésique de notre ancien amour. Mais tu me seras attaché par de nouveaux liens et notre amour sera inconditionnel. Extatique.

Mon mari est heureux lui aussi, mes enfants sont surexcités. Nous t'attendons avec grande impatience. L'effervescence est à son comble et la joie éclate par tous mes pores. Enfin vivre, vivre ensemble, partager l'amour et la beauté de cette vie.

Et toi, mon secret, mon inaccessible étoile, le rêve de mon rêve, demain je t'exposerai en pleine lumière et je te serrerai enfin dans mes bras !

STÉPHANIE BOUTIN
Montréal

Tango

I

Excuse-moi une minute. Je repousse ma chaise, avance vers le fond du bar et entre dans le cabinet de toilettes. Je pousse la porte du centre, la referme et verrouille. Le dos appuyé, je regarde la cuvette et soupire de soulagement. Je déroule un peu de papier hygiénique et recouvre le siège. Je retrousse ma robe, baisse mon collant et m'assois. La musique de tango traverse les murs. Ça me donne envie de pleurer. Je me penche légèrement vers l'avant et repose mon front contre la paume de ma main droite. Les lumières sont tamisées, j'ai du mal à percevoir la couleur du plancher. Au fond, pour ce que cela m'importe ! Deux filles entrent en rigolant. L'une pousse la porte à ma droite, l'autre, à ma gauche. Elles parlent fort. Pour elles, je n'existe pas. Point d'intruse au beau milieu de leur conversation. Rien. Personne. Elles tirent chacune la chasse d'eau et sortent du cabinet toujours en badinant. Une odeur de parfum traîne. Ce n'est pas désagréable.

L'ampoule au-dessus de ma tête cligne de l'œil. Sa lumière frétille sur le plancher. Je fouille dans mon sac à main, sors une cigarette et l'allume. Dans ma bouche, une salive au goût amer et piquant. Un haut-le-cœur. Les marronniers sont en boutons, le printemps est précoce, je sors de l'immeuble. Il m'attend, là, stationné en file. J'ouvre la portière de la voiture. Il me sourit béatement, une douzaine de roses dans les bras. Je m'assois, regarde devant. Le soleil se couche paresseusement au creux de l'horizon qui ne cesse de s'étirer. Il démarre et me parle de tango. Je hais le tango. Je presse les tiges aux épines pointues contre mon sein gauche. Je les presse fortement, brutalement, jusqu'à me transpercer le cœur. Quelques gouttes de sang pénètrent dans le tissu blanc de mon chemisier. Les roses se fanent, noircissent sous le souffle chaud de ma respiration entrecoupée. J'écarte les cuisses et laisse tomber la cigarette dans la cuvette. Une larme m'échappe.

Aujourd'hui, déjà cinq ans. Cinq putains d'années à me dire qu'il faudrait en finir avec cette relation, avec cet homme qui me rend complètement folle. Une femme entre, choisit la toilette à ma droite. Il me regarde tendrement en me versant un verre de vin rouge. Il allume des chandelles, va à la cuisine, revient et dépose devant moi une assiette de canard aux cèpes. Je n'ai pas faim. D'une lampée, j'avale le vin. Cul sec ! Il me sourit, il me sourit tout le temps, et chante la beauté de mes yeux. J'enfonce mes doigts sous mes paupières, les arrache de leurs orbites. La cire glisse lentement, échoue sur la nappe et durcit. Quelques notes de tango me grignotent le cœur. La femme me demande un peu de papier. Je lui en passe quelques feuilles sous le mur qui nous sépare. Une odeur pestilentielle me vient au nez. Je toussote, retiens une nouvelle nausée. J'allume une cigarette, m'enfume. L'odeur se dissipe peu à peu.

Lorsque j'aurai terminé de la fumer, je sortirai d'ici et lui ferai mes adieux. Promis. Nous partirons chacun de notre côté, sans cri ni larmes. Nous ne deviendrons ni ennemis ni amis, simplement des inconnus l'un pour l'autre. Je masse ma nuque. Bon d'accord, je l'admets, je n'ai pas de raison satisfaisante de le quitter. Est-ce suffisant de ne pas vouloir aimer, de ne plus vouloir aimer ? De ne jamais avoir voulu aimer ? La lumière agonise. Je me gratte la gorge. Il me caresse les hanches, les cuisses. J'ai le front tout en sueur tellement j'aimerais gueuler. Il embrasse mon ventre, ce ventre plein de lui. Je ferme les yeux, cesse de respirer. Mourir sous ses doigts, sous sa bouche. J'attrape une ceinture et me fouette le ventre, le fouette jusqu'à ce que ma peau se déchire, jusqu'à ce que sa semence sorte de moi. Non. Je ne vais pas plus loin. J'arrête tout, là, maintenant. Je me lève d'un bond, lance ma cigarette et repousse le papier dans la cuvette. Je remonte mon collant, ajuste la robe qu'il m'a offerte pour notre cinquième anniversaire et tire la chasse d'eau. Je me retourne, pose ma main sur le verrou puis m'immobilise. J'ai complètement oublié d'uriner ! Je déroule à nouveau un peu de papier, recouvre le siège et m'assois, fesses nues.

Il prend mon visage, pose ses lèvres sur les miennes. Je sens sa langue insistante mais je n'entrouvre pas la bouche. Il se recule, sa prunelle me fixe. De son index, il me caresse les lèvres et m'embrasse à nouveau. Je n'arrive pas à le lui dire. Les mots brûlent dans ma bouche et leur cendre m'étouffe. Ma gorge se contracte. Avec mon pouce, j'essuie une larme fugitive. J'urine. Il enfouit sa main dans sa poche de pantalon et sors une petite boîte de velours rouge. Je me place les deux poignets sous le couperet d'une guillotine. La lame tranche d'un coup. Estropiée. Il prend ma main gauche, l'ouvre et y dépose la boîte. Une bague. L'ampoule est grillée. Ses yeux brillent de joie, les miens de désespoir. Le bout filtre d'une cigarette allumée, coincée entre les dents, j'aspire bien fort. Une petite lueur d'espoir. Des larmes coulent sur mes joues. Je porte ma main à ma bouche, refoule ma douleur et mordille la bague.

Il glisse la bague le long de mon index, baise ma main. Il se retourne et retire de la penderie un grand sac noir qu'il pose sur mes cuisses. Il prend place à ma droite et passe son bras autour de mes épaules. J'ai chaud, je suffoque. J'ouvre le sac, tire sur l'étoffe rouge. Une longue robe se déploie et deux billets atterrissent sur le sol. La musique de tango résonne dans ma tête. Je me lève, lance la cigarette dans la cuvette, remonte mon collant, rabaisse *sa* robe rouge le long de mes cuisses. J'actionne la chasse d'eau. Ma main sur le verrou, je ferme les yeux un instant et quitte cette toilette. Je m'avance vers lui. Il mouille ses lèvres de whisky et me sourit. J'ai les mains moites, les jambes molles. Rompre le jour où *il* célèbre par des fiançailles cinq années de concubinage ? Il me dira que ce n'est pas sérieux. Je m'approche. Il croise ses jambes, se redresse. Je tire lentement la chaise et m'assois. Je respire profondément... *Je suis vraiment désolée, on disait ?*

II

Une goutte glacée sur ma nuque, la chair de poule sur le haut de mes cuisses, les mamelons durs, je frissonne. Schubert vient de s'arrêter. Le carrousel tourne. Je plonge ma main ratatinée dans l'eau tiède, m'asperge la poitrine. Je ferme les paupières et écoute le nouveau disque. Je murmure du bout des lèvres : La Muerte del Angel. *Une pièce de tango, sa favorite. Des chandelles sur le rebord de la baignoire, des notes qui surgissent saccadées, des flammes dansant sur le mur, une ombre qui tremble, des sanglots. Mon corps s'enfonce lentement. Je fléchis les genoux jusqu'à ce que ma tête soit complètement submergée. Couler.*

La musique retentit dans mon cœur. Il y a à peine deux heures, je foutais tout en l'air. Cinq années de ma vie volaient en éclats. Cinq années se noyaient avec lui, au large de moi. Je baisse la longue fermeture éclair de *sa* robe, la retire. Je la lui lance, avec sa bague. Il me fixe, inquiet. J'allume une cigarette. Ma bouche est sèche, ma salive du sable, les mots : de la grenaille. Les bretelles de mon jupon tombent sur mes épaules puis sur mes bras. Ma poitrine se dénude. Prélude. Je m'approche de lui. Il me prend par les hanches et embrasse mon ventre. Je me recule brusquement. Je ne sais plus. Il se lève, agrippe ma main gauche. Je résiste, fume. Il tournoie autour de moi, m'emporte dans un tourbillon. Chavirement. Nos corps basculent, tombent à la renverse sur le tapis près du lit. Essoufflements. Ses lèvres touchent les miennes. D'un coup sec, je sors ma tête de l'eau, s'ensuit une violente quinte de toux.

Je m'étire et attrape mon paquet de cigarettes sur la cuvette. J'en porte une à ma bouche et l'allume à l'aide d'une chandelle. Avec la fumée, je fais des petits ronds qui s'envolent et qui disparaissent. La musique est langoureuse. Je sens son souffle frôler ma chevelure comme si son fantôme venait me hanter. Je tressaille. Au beau milieu de la nuit je me réveille, la tête enfouie dans ses bras. Sa respiration est lente, son corps mou, endormi. La clarté de la lune pénètre à travers les fentes du store resté ouvert. Sur le drap blanc, des rayures d'ombre et de lumière. Je me redresse. Il gémit un peu. Je me lève du lit, m'enroule dans le drap. J'entrouvre la fenêtre. Une brise fraîche, douce, l'haleine du printemps. J'écarte de mes doigts deux lamelles du store. Une cabine de téléphone vide, un chat errant, des bouts de papier sur la chaussée, des fenêtres aux rideaux tirés. J'écoute, silencieuse, l'écho d'une nuit qui fut mouvementée. J'avance à pas feutrés vers le fond de la pièce et m'assois dans le fauteuil en cuir. Les objets baignent dans une lueur diffuse, incertaine. Je me passe la main sur le front. Là, à cet instant précis, s'il se réveillait j'aurais la force de le quitter, j'arriverais à balancer ses vêtements du haut de la fenêtre, à lui ordonner de sortir de chez moi. Je penche un peu la tête. Paupières closes, il dort à poings fermés. Le téléphone sonne. Je sursaute. Je tire très fort sur ma cigarette. Palpitations. Lui. Il veut revenir. Il ne faut surtout pas répondre.

La sonnerie du téléphone persévère. J'éteins la cigarette dans le cendrier sur la cuvette. Je m'agenouille, j'allonge le bras et saisis une débarbouillette. Je l'humecte en la trempant dans l'eau qui ne cesse de refroidir. Ne pas entendre le téléphone acharné. Rester calme. Inspirer. Expirer. Inspirer. Je presse le gant de toilette contre mon visage, son odeur emplit mes narines. Je le lance brutalement contre le mur. Je savonne puis noie mon visage dans l'eau. Je frotte. Je frotte très fort pour empêcher le parfum, son odeur, de m'imprégner. Âcre relent d'un souvenir d'amour. Le téléphone s'arrête. Des larmes coulent sur mes joues. Impossible de les retenir. Le crépuscule. L'instant où le jour congédie la nuit. Ses yeux s'ouvrent. Son bras me cherche dans le lit. Il chuchote mon prénom. Je demeure muette, le cœur au bord des lèvres. Il s'assoit, boit un peu d'eau et me sourit. Mes mains se serrent l'une contre l'autre, je croise les jambes. Crier, gueuler pour dénouer ma gorge. Les mots me viennent pêle-mêle, je bafouille. Il ne bouge pas, puis ses sourcils se froncent et ses traits deviennent sévères. Il s'approche de moi. Je me lève d'un bond, il se cramponne au drap, je tourne sur moi-même, le lui abandonne. Je recule, il s'avance. Je crie, le repousse. Le téléphone sonne encore. Papillons noirs.

Je me savonne une dernière fois et me rince le visage. Je referme la porte de l'appartement, verrouille à double tour. Il frappe, pleure, me supplie. Il ne comprend rien. Il ne comprend plus rien. Je me laisse glisser le long de la porte, m'assois sur le plancher froid. Recroquevillée sur moi-même, j'écoute. Il me parle à voix basse, puis il se met à donner des coups. La porte vibre. J'ai froid. La voix de la voisine. Je tends l'oreille. Un moment d'accalmie. Il pleure moins bruyamment. Près de la patère, son parapluie appuyé contre le mur. Cliché monotone. Je soupire. Migraine. Je me lève et avance dans le couloir sombre jusqu'à la chambre. J'allume une cigarette. Je rabats la photo de nos vacances à la mer contre la commode. Je me regarde dans le miroir, une joue rouge, les yeux boursouflés. Prendre un bain. Écouter du Schubert. Oublier. Le violon est grave, l'accordéon brusque. Le téléphone n'a pas cessé de sonner. Je passe une jambe par-dessus le rebord de la baignoire, m'emmitoufle dans une grande serviette. Je me rends à la chambre. Les couvertures volent, le fauteuil se renverse. Une gifle. Des éclats de verre. Mes ongles qui s'enfoncent dans ses avant-bras. Des cris. Je m'affaisse dans le fauteuil. Un cafard remue près de moi.

III

Le violon strident me perfore le cœur. Je me relève, arrête la musique. J'enfile mon peignoir en m'avançant vers la fenêtre. Les rayons du soleil figé au midi de l'azur pénètrent comme par effraction, je plisse les yeux. L'avenue, des voitures, des passants, une jeune fille léchant une glace à la pistache, un homme qui la reluque puis, à sa gauche, la cabine téléphonique habitée. Il est là, accroupi dans le coin, le combiné agglutiné à l'oreille. Je ferme le store, débranche le téléphone obstiné. J'avale deux comprimés et me cache sous la couette épaisse. Fondre. Me dissoudre. Soluble dans les limbes d'un rêve.

Les paupières encore demi-closes, j'allume une cigarette. Je pousse avec mollesse son oreiller sur le sol et balaye de ma main sa table de chevet. Je me retourne sur le dos et fume. Un pont. Lui. Moi. Sa main chaude enveloppant la mienne. Cette pensée, soudain, s'écoule de moi comme du sang. Je m'assois. J'ai bien dormi, merci. Je sors du lit et traîne les pieds jusqu'à la cuisine pour me verser un verre de scotch. Je reviens à la chambre, branche le téléphone. Il sonne toujours. J'ouvre le store. Affalé dans la cabine, hypnotisé par la sonnerie, immobile. Je tourne, tourne et tourne encore. Mon corps s'allège. Il saisit mes hanches puis ses mains remontent le bas de mon dos. Je bascule. Une jambe au sol, la tête penchée vers l'arrière, les bras pendants, je ne tiens qu'à un fil. J'avale une gorgée. Grimace. Une dame s'arrête et frappe sur la porte battante. Il lève les yeux, pointe son majeur vers le ciel. La dame relève le col de son manteau, presse le pas et disparaît, insultée. Son regard croise le mien. Je baisse la tête, les commissures de mes lèvres tremblent. Il me redresse. Le talon de mes escarpins claque sur le sol. Je mène. J'attrape le combiné du sans-fil et le pose à mon oreille. Il se dresse sans cesser de me fixer. J'avale d'un trait le scotch, suce la glace. Il ajuste son veston, sourit. Je me libère du verre et me frotte la figure. Des larmes perlent sur le bout de mes doigts. Ma main gauche se relâche, le combiné tombe. Son poing percute l'appareil.

Je serre la ceinture de mon peignoir, ronge l'ongle de mon pouce. Baisers suaves sur ma nuque. Caresses lascives au travers de la soie. J'appuie mon front contre la vitre. Il sort sans raccrocher, crie mon prénom et retourne dans la cabine. Son souffle haletant près de ma bouche. Je me mords le poing. Chimères. Je me secoue. Haleine fétide. Oui. Sueur collante. Oui ! Le drap humide sous mes fesses. Voilà, je le déteste ! Mes jambes cèdent, je m'effondre. Je me mets à sangloter avec frénésie. J'étire mon bras et saisis le combiné. Spasmes. Je pose ma main sur mon cœur trépidant. Je ferme les paupières. Impulsion. Je presse la touche. La sonnerie se tait, ma mâchoire se paralyse. Le temps s'arrête. Dans mon oreille, le frémissement d'une voix interdite. Je descends lentement le combiné le long de ma joue, de mon cou. Étranglée par les sanglots, je raccroche.

Fusillée par ses hurlements, je m'agrippe au drap du lit, tente de me hisser mais en vain, je m'étends sur le sol. Tourbillon de souvenirs. Maelström où je me perds. Ma main crispée sur le combiné muet, ma voix étouffée. Silence. Refaire surface. Naufrage. Et ce téléphone qui ne sonne plus ! Le vide. Le cœur en lambeaux, échoué sur un écueil. À boire. Épave éventrée sur le rivage de ma vie. J'ai tellement soif. Je me lève et glisse le combiné dans la poche de mon peignoir. Un verre de scotch. Sans glace. Une cigarette. La bouche molle, les yeux ardents, je reviens à la fenêtre. Des gens ont écarté les rideaux. Épieurs. La rue bruit de ragots, de cancans et de médisances. Fouineurs. Il est assis sur le banc public, une dame l'a pris par les épaules, le console. Il lève la tête, pointe ma fenêtre. Du coup, tout le monde regarde. Je me recule, me place en retrait. Éviter les regards. Feindre l'innocence. Assister anonyme à un fragment de ma vie considérant toute ambition de la vivre, désormais accablante.

Il tend la paume à la dame, elle y dépose une pièce. Noyer ma joie d'une grande lampée de scotch, par orgueil. Il se lève, se dirige vers la cabine. J'empoigne le combiné, le retire de ma poche et le colle à mon oreille. Il pousse la porte, s'arrête et regarde en direction de la dame. De drôles d'images foisonnent dans ma tête. Il regarde ma fenêtre, le téléphone, la dame, puis retire sa main de la porte battante. Il va la rejoindre. Angoisse. Je sens au rythme de mon cœur que je respire mal. Ils s'éloignent. Je m'empresse d'ouvrir la fenêtre, je sors la tête, le torse. Dans ma gorge souffle un noroît. Des mots glacés sur le bord des lèvres. Paroles mort-nées. Transie, je fixe la cabine vide. Ma main s'évanouit, le combiné tombe au beau milieu de l'avenue.

IV

La pénombre tombe, je mets un disque sur le plateau tournant. Son air préféré. Je prends une gorgée de whisky, me place légèrement en retrait derrière l'épais rideau bourgogne et l'humecte avec quelques gouttes de son parfum. Son odeur embaume la pièce. J'attends son entrée.

La fenêtre s'éclaire. Un imperméable, un attaché-case déposés sur le petit fauteuil en cuir. Des chaussures lancées au milieu de la chambre. Une jupe, un chemisier au pied du lit, un corps étendu. Vestiges banals d'une journée achevée. Elle regarde le téléphone. Tu espères l'entendre sonner ? Que je te donne un coup de fil ? Elle se retourne sur le dos, pianote sur son ventre. Promptement, elle décroche et compose. Un bref appel. Une copine sans doute. Qui pourrait demeurer seul avec un chagrin tel, qui nous consume l'être entier ? Tu sais, je t'ai vue pleurer l'autre soir. Elle enfile son peignoir blanc, attrape un disque sur le fauteuil et s'avance vers la chaîne stéréo. Quelques notes de tango pour te faire penser à moi ? Nostalgie ? Vague à l'âme ? Elle se met à tournoyer sur elle-même, les bras en croix. Elle penche la tête en arrière et virevolte plus vite encore. Danses-tu avec moi ? Son peignoir s'entrouvre sur son corps à demi vêtu. Mes mains effleurent le rideau. Je devine, sous la soie, la courbe fine de tes fesses. Je sens ta nuque, effleure tes cuisses, écoute ton souffle qui s'accélère. Elle s'arrête brusquement, se laisse tomber sur le lit et décroche le combiné. Elle sourit. Elle enroule une mèche autour de son index, rigole. Ton frère, j'imagine.

Elle se relève, va à la cuisine. Ou à la salle de bains ? Elle réapparaît au bout d'un moment, un verre de vin rouge et un grand sac vert dans les mains. En se dandinant, elle ouvre les deux portes du placard, se penche et tire mon écharpe favorite. Tu veux la déposer sur l'oreiller, sur mon oreiller et sentir mon odeur toute la nuit, comme avant ? Tu es mignonne. Je mouille mes lèvres de whisky. Elle s'avance avec sa longue robe écarlate. Un petit sourire timide. Je me redresse. Elle tire sa chaise, s'assoit. Je pose ma paume sur le dessus de sa main. Pourquoi regardes-tu sans cesse autour de nous ? Elle balance mon écharpe dans le sac avec mes chaussures, mon veston, mes pantalons, mes chemises, mon bouquin et le cadre : une photographie de nos vacances à la mer. Elle noue le sac et disparaît. Tu sais ma belle même si tu te débarrasses de mes objets, tu penseras encore à moi, tu verras. Tu verras, on ne balance pas aux poubelles comme ça cinq années de concubinage. Elle revient après un moment. Je regarde au bas de son immeuble, le sac gît sur le trottoir.

Elle retire son peignoir. Elle me lance la robe, la bague. Tout son corps tremble sous mon regard placide. Les bretelles de son jupon glissent sur ses bras, sa poitrine se découvre lentement. Elle s'approche. Ses chevilles se débattent faiblement, abandonnent la soie. Je pose mes mains sur ses hanches et couvre son ventre de baisers. Elle se recule, m'invite à danser. Tango. Elle se regarde dans le miroir. Tu as un peu maigri ? Tu as un peu vieilli ? Si tu savais qu'une rue seulement nous sépare. Si tu sentais ma prunelle caresser ta chevelure, embrasser ta nuque... Mais je t'en prie, cesse de te trémousser le derrière, ça devient vulgaire ! Elle revêt un autre jupon et une robe noire. Elle dépose ses boucles d'oreilles sur la commode et avance rapidement jusqu'au fauteuil, elle fouille dans les poches de son imperméable et quitte à nouveau la pièce, son porte-monnaie à la main. Une pizza ? Elle la pose sur le lit. Tu ne manges pas ? As-tu perdu l'appétit depuis que tu m'as quitté ? Tourmente. Sa bouche qui gronde soudainement. Une bourrasque d'injures. Le verre qui se fracasse contre le mur. L'éclat qui transperce mon pied. Son corps qui se débat entre mes bras, ses ongles qui s'enfoncent. Le torrent. La porte se referme. Double tour. N'attache pas tes cheveux de cette façon tu sais que je n'aime pas tellement, non ? Et qu'est-ce que ces boucles d'oreilles ? Beaucoup trop clinquantes. Du rouge à lèvres ? Du mascara ? Ça y est ! Tu as l'air d'une vraie pute !

Je dessine avec la pointe d'un coupe-papier, les lettres de ton prénom sur la vitre de ma fenêtre. Elle s'assoit sur le lit, avale le reste du vin et commence à manger la pizza. Tu aimerais bien que mes mains furètent sous ta robe ?

Comme avant. Tu aimerais encore sentir mon parfum imprégné dans ton cou après l'amour ? Tu aimerais bien me dire de revenir, hein petite conne ? Elle se lève d'un bond, glisse la boîte de pizza sous le lit, peigne ses cheveux avec ses doigts, ajuste sa robe, enfile en vitesse un collant et des escarpins noirs. Les escarpins que je t'avais offerts pour ton anniversaire ? Un gars un peu courtaud attend en bas avec deux bouteilles de vin dans les bras. Elle court, s'éclipse. Il entre dans l'immeuble puis ils apparaissent tous les deux dans la chambre. Dans notre chambre tu te souviens ? Un ancien camarade ? Un collègue de travail ? Un nouvel associé ? Tu ne nous présentes pas, ma belle ?

Quoi ? Il t'embrasse sans même retirer son manteau ? Un manteau d'ailleurs de mauvais goût, non ? Tu ne le repousses pas ? Ah ! je vois, tu crois m'oublier plus vite de cette façon. Il te presse contre lui ? Tu te laisses faire ? Tu ne te rends pas compte, il abaisse les bretelles de ta robe et la fait descendre le long de ton corps ? Tu t'étends sur le lit, salope ? Il enlève son manteau, ses chaussures et sa cravate. Et ta perruque, pauvre crétin ? Mais quel âge il a au fait ton soupirant ? Il se couche à tes côtés ? Mon oreiller ! Ma main se crispe sur le manche du coupe-papier. Je donne un violent coup de pied dans le mur. Tu attends que je te téléphone et que je te supplie de revenir ? Tu lui retires sa chemise ? Tu défais sa ceinture ? J'empoigne le combiné, compose ton numéro, notre numéro. La voix enregistrée d'une téléphoniste. Je me suis trompé, je recommence. La téléphoniste. Les nerfs, je suppose. Tu sais que je suis nerveux, hein petite vache ? Je recompose.

Garce ! Je lance le téléphone, te regarde et frappe ma tête contre la fenêtre.

Les paupières closes, penses-tu un peu à moi ? Je renifle le rideau, te hume. Il écarte tes cuisses, une larme glisse sur ma joue, je serre très fort le coupe-papier, l'enfonce dans ma poitrine près de mon cœur et recommence deux fois. Tu refermes tes cuisses autour de sa taille, tes ongles se plantent dans son dos. Je lâche le coupe-papier, prends le flacon dans ma poche. Avec les doigts, j'écarte un peu l'entaille et y verse ton parfum. Ma gorge se contracte, ma bouche s'ouvre grand, très grand. Le sang chaud coule sur mon ventre. Mes jambes faiblissent, mon cœur brûle...

SYLVAIN THÉVOZ
Bruxelles

Transbordeurs

Pour Manon
Pour Sauvane

Le clair-obscur est la navette du conscient à l'inconscient.
Humilité n'est pas humiliation.
Patience, tout se fera.

Personne à gauche, personne à droite. Personne.
Je dois traverser cette route.
Je
Dois
Traverser
Cette
Route

J'attends au bord central du bitume. Les continuelles révolutions des roues et des cycles d'essieux ont strié la bande d'arrêt d'urgence de dermes noirs. Certains camions empruntent à présent des lignes annexes. Ils ont des bâches bleues comme des voiles couvertes de signes russes, arabes, de graffitis ; vol de virgules et de nombres en intermittence où s'écrit le désert, le désir de mer. Sur ce bras maniaque des transporteurs internationaux, certains passent, d'autres renoncent. Collé au parchemin de route, comme une veine battante, je m'attache au pire, une écharde au cœur, la mine lourde. Micas granit, blocs les trottoirs, blocs les coins de ciel entre immeubles et hangars. Bloquent le passage herses et cadres en plexiglas, barbelés et cubes de goudron. Elle scintille comme constellation d'étoiles : *the Border*, la frontière, *die Grenze*, la ligne d'arrêt.

J'arpente le silence, quatre yeux dans ma mémoire. Un nouveau pays, en horizon, nouveau souffle contenu. Le balayage méthodique des projecteurs fouille tout souffle, toute pensée. Lampes, torches scandent la densité morse d'une rythmique radioactivité. Je ne dois pas m'approcher, ne pas toucher, ne pas trop y croire, ne pas respirer trop fort. Je ne dois pas vouloir, juste me laisser glisser, couler, liquide ; me métamorphoser : souffle, expiration. Des hommes remontés pour huit heures arpentent des couloirs à ciel ouvert en uniformes de chiens manifestes. Aux murets miradors, changement de ronde, tourne sur lui-même un vieux disque rayé. Dans mon ravin, je tourne aussi en rond, une aiguille de lumière sur la tête. Je dois bouger, sortir de cet entre-deux. Il me reste quelques mètres à franchir pour changer de statut, changer d'être. M'affranchir.

Litanie de numéros sur écrans et consoles vidéo. Devant ceux-ci se dissout le bleu fade d'un panneau signalétique. Cible cerclée d'or, d'or et de rouille en poudre, végétales fluorescences. Je suis à l'absence présence, câbles et connexions, du fonctionnement cybernétique, binaire : ici, ailleurs. Ici, c'est déjà ailleurs. Dehors, dedans. Dehors c'est encore dedans.

De l'aube aux dunes au crépuscule, des simples signaux de passages interdits aux bureaux en eaux-fortes, le rouge est ici permanent. Le rouge domine. Le rouge écrase. *ERASE*. Dedans, dehors, structurellement. Ici se signale : le sang va couler, coule pour celui qui s'avance dénudé.

Squelettique deuil de l'effigie, l'Homme fonte marche et n'avance pas. L'Homme s'avance et ne se démarque pas. Il est numéro, un signifié. Cryptogramme de celui, immobile, n'ayant cessé de se déplacer. C'est un marin sans bateau, cerclé de métal, un nomade en circulaire pérégrination. Cela dit, STOP. L'Homme est d'un signe barré. Les codes ont pris le contrôle. On n'en parle plus. Chez nous, cet espace entre deux pays se nomme la salle des pas perdus. Certains s'y perdent effectivement, entre lumière et obscurité. Certains y passent des années, en attente.

Je dis : « NE CHERCHEZ PAS LE SENS MAIS PERCEVEZ L'ÉMOTION ! »

Je suis cet Homme de la pluie doté en héritage d'une boussole aux averses perdues. Je suis guide en quête, scribe présent à son effacement. Pour ceux restés derrière moi, je suis détenteur d'une charge magique, la leur. Je suis parti avec ce peu de rêve autorisant la poursuite de l'espérance. Invisibles, leurs esprits me demandent l'amour. J'ai pour toute sécurité ces bandes de sol tissées que j'efface à la traîne derrière moi. Ce qui vient au-devant m'est inconnu, ce qui va au-delà me ramène à moi-même.

Je suis à mon tour dans la ligne de mire. Je vis dans le viseur de ceux d'en face. Ils sont autorisés à franchir la ligne, dans tous les sens. La permission de leur bonne conscience, le soutien lourd du monde tel qu'il doit être leur sont donnés. Ils définissent la ligne, à nous de nous y adapter. Casquettes, fusils et forces de la loi, plombs et matraques électriques. Si la loi ne suffit pas, ils ont le meurtre et la dissimulation des preuves en appel. Ils définissent l'illégal, ils distribuent des médailles outillées. AMEN !

Je parle. Un grand silence.

Je me tais. C'est dans ma tête un son immense.

Il y a longtemps, à un poste frontière, on m'avait offert un thé chaud et sucré. J'avais alors un rond noir sur le poignet. C'était avant les changements de régimes et les suicides collectifs. J'avais une carte routière pliée dans ma poche, un nombre impair d'oranges, une poignée de noix, un pendentif. J'avais aussi un chiffon sale, un numéro de téléphone à neuf chiffres en cas de coup dur. Je possédais un canif, notre Coran et notre Bible, un vieux dictionnaire d'avant 1930. Ce que j'ai laissé derrière moi ne m'appartient plus. Ce que j'ai laissé derrière moi ne m'a jamais appartenu. Ce que je possède est public.

Gyrophare, comme une onde s'avance.

Personne à gauche, personne à droite. Personne.
Je dois traverser cette route.
Je
Dois
Traverser
Cette
Route

Un soir sans lune, je suis parti vers la ville. Derrière moi, laissée, dérive sur feu de bois, ma vieille cafetière de métal. J'ai quitté ma famille sans me retourner. J'ai quitté mon pays sans y avoir, je crois, jamais vraiment été. On se trompe parfois entre le contenant et le contenu. La bouteille est souvent plus significative que ce qu'elle renferme. Je laisse un message à la bouteille pour ceux qui viendront prendre ma place. Je laisse à ma suite ce leurre. Prenez cette place, elle est similaire à celle d'ailleurs. Je cherche l'autre.

Je dis : « PRENEZ MA PLACE, JE CHERCHE L'AUTRE ! »

Je veux quitter ce domaine, m'affranchir et me poursuivre ailleurs. Je pense au vert terrible de nos printemps d'eau sale, au bleu prune ou figue de ces anciennes nuits d'automne. Je pense au passé de nos champs magnétiques ; à la terre, portée musicale où étaient glanés à quatre pattes carottes, radis, betteraves comme des do dièse. Je pense aux oiseaux, ceux couleur d'os et de cheveux sales. À tous les crânes et à tous les membres tendus teintés d'avril, de saumon cru. Je pense aux mouvements de chaînes ; à ceux, plus anciens, des balançoires. Je pense aux jets de dés, aux jeux de cartes, aux invisibles chasseurs. Je pense aux cliquetis de l'aube d'alors, aux douilles fumantes, aux casseroles vides. Je pense aux blouses ouvertes de nos jeunes femmes. Seins nus, blancs presque translucides, leurs fines veines comme des sillons de mercure. Je pense à la sueur, la solitude. Je n'ai plus peur. Peur ? Ce sentiment est un sentiment d'avant la guerre. Il était rassurant d'avoir peur lorsque le pire pouvait advenir. Maintenant qu'il est advenu, à quoi peut-elle bien nous servir encore ?

Elle est désuète, je l'ai éliminée. Je n'ai pas peur, il ne m'en reste que l'instinct.

Je suis en route. Je marche infirme. Je pense à ce qui ne se retrouve pas. Je ne pleure plus sur mes membres épars. Je pense à l'amour, à ce qui m'était donné, à ce qui était mien, ne pouvait l'être qu'en partage, lorsque nous vivions encore ensemble. Je souligne mes trajectoires, passe à la craie, au charbon, des lignes : les souvenirs. Ici j'allège, ici assombris. Je lâche du lest pour dire en marchant dans des flaques d'eau lourdes :

JE LÂCHE DU LEST !

ICI JE LÂCHE LA DISTANCE !

JE PARS JE SÈME JE DÉROUTE

QUATRE MILLIONS TROIS CENT SOIXANTE MILLE LOTS D'HISTOIRES PORTÉES EN HÉRITAGE !

J'imprime ma dentition à la vie. Masques, cela dépend. Vivre n'est pas une science exacte. Je pense à la relativité du temps, au temps qui passe, aux limitations de vitesse. Je pense à la vie, la mienne passée, celle qui continue à présent. Pris dans la rivalité du vivre, je pense à ne plus penser. Dans la ville arrivé, je m'avance. Cette ville est mienne, je ne la connais pas.

Je dis : « NE CHERCHEZ PAS LE SENS MAIS PERCEVEZ L'ÉMOTION ! »

Je suis un drapeau.

Je suis le ciel.

Je suis le ciel au milieu du drapeau et le grillage tout autour.

Et au milieu : des Hommes. Ils sont mes frères et mes sœurs. Je m'avance à l'essentiel. Les Hommes ici ne se saluent pas ; inconnus aux manches longues, leurs visages cousus sont coudes à coudes comme morts. Ils ne se regardent pas. Ils ne se parlent pas. Ils ne s'embrassent pas. Ils ne se touchent pas. Ils ne soufflent pas. Ils ne chantent pas. Ils ne pleurent pas. Ils n'ont plus le temps de se désirer. Ils font l'amour rage, l'amour pression, compétition. Ils font l'amour comme en usine, comme un travail, en porte-avions. Hommes, ils ne se serrent plus les mains. Hommes, ils ne sourient plus. Hommes, ils semblent malades. Hommes, ils ne mettent plus d'enfants au monde. Hommes, ils se suppriment même. Hommes, ils... Je vois leurs mains en poche en poings, serrées, leurs visages ouverts sur un infini besoin de compassion, une infinie marque de solitude. Je vois leurs mains avides comme des appels à la plénitude. Je vois leurs cernes, leurs rides, leurs fatigues, comme une terre en larmes retournée.

Je dis : « Hommes êtes-vous encore Hommes ? L'avez-vous oublié ? Qu'avez-vous fait, omis de faire, pour mourir de soif au bord du rivage ? Pourquoi suspendre votre vie pour vénérer des idoles ? Vivre est vigilance, l'avez-vous oublié ? Vivre est éclat de rire ! Vivre est caresse ! VIVRE EST AMOUR ! »

J'habite en dissidence un deux-pièces à ciel ouvert proche de l'autoroute. Béton, fer, armatures et armures, ponts poutres et trottoirs, sous ce mikado géant de structures accumulées, l'Homme a enterré sa vie patiente. Pèse là-dessus un ciel de cheminées et de pigeons morts, d'avions en déroute ; un ciel de suie, d'huile de vidange, de crème grasse. Sur nos écrans télévisuels de stries de perles vives, des voitures de sport et des corps hachurés : des tanks comme des bêtes immondes s'avancent. Tout ici est lutte, vitesse, impermanence. Sexes ouverts en mouvement et ciel suintant, ciel lumières et panneaux publicitaires ; sur les murs dans les regards et dans les rétroviseurs aux collages polymorphes, tout est à vendre. *PAY AND GO, TAKE AWAY, TWO FOR ONE, YOU NEED HOLIDAYS !* Tout est vendu depuis longtemps déjà, décidé pour le pire. J'ai du dégoût : dégoût, de l'ennui, là où tout semblait encore possible.

Sonne l'heure du retour au départ, aux voies des chemins de fer, aéroports, ports, aux fouilles. Passerelles, passeports, *NO PASSARAN*, mise à nu, mise à sac, mise en boîte, ON ne passe pas. On se tait. Cales, cages, citernes. Refoulé, On me chasse. Cela ne me dérange pas. Chassé ici ou ailleurs. De toute façon, je dois partir. Retombe la poussière.

J'exorcise. Je chamanise, inconnu, exilé. Pots d'échappement, je scande, encense, danse, sur des quais, dans des salles d'attente. De boîtes de conserve, de vieux journaux, je bricole des jouets pour des aveugles. Je roule la chance, jongle d'idées. J'ai les ongles sales. Je ne vis de rien ou de si peu, aux limites des zones éclairées et du rêve éveillé. Au caniveau, je lis Haldas, celui des deux pays et de la solitude, relié à tous. Tout est possible. Je dors sous les ponts. Tout est possible. J'ai retrouvé le goût des livres. Peut-être le désir des femmes me reviendra-t-il plus tard. Des parenthèses en couverture dans ma tête, je cherche à comprendre. Alors, les moutons, les prés, les couchers de soleil, cela : l'idéel imprimé à larges bandes, à quoi peut-il bien me servir encore ? À quoi bon la barrière de planches au pourtour de la vieille maison blanche, les comptines, chants d'enfance, les odeurs de vaisselle, de cannelle et de pommes bien cuites ? À quoi bon la confiture de groseilles et les pois écossés, l'herbe fraîchement coupée et les courses métalliques dans les champs d'avant l'orage ? À quoi bon, oui, se souvenir des bains d'avril aux lacs de montagnes, de la quête des racines, de la désorientation des premières pertes, aux premières amours ?

Je dis : « NE CHERCHEZ PAS LE SENS MAIS PERCEVEZ L'ÉMOTION ! »

Involontaire et vaine cette tentative de marcher à rebours vers l'idéal. Les peintures s'écaillent, les photos s'écornent, les vieux vieillissent et les jeunes partent. Le passé est une zone minée, une zone militarisée. Un *no man's land* surpeuplé de fantômes. J'ai perdu l'innocence en prenant le large. J'ai égaré ma mémoire en cherchant le souvenir, la notion des jours et le rapport au quantifiable de l'existence. Sur leur balance du temps et de l'argent, ma vie est une non-valeur. Suivant leurs curseurs, je mérite l'indifférence. À vie. La sanction est tombée. Toute révolte aggrave mon cas. La guerre comme un raz-de-marée a tout recouvert, nivelé. Il reste une plage lisse. Le sable s'y étend à perte de vue. Au loin, je vois les lacis gris, glacis des lames comme des larmes : Les autostrades. Encore, EXIL, *EXIT*, partir.

Il est une idée incarnée, obsédante, aller, m'en aller. Il est démarche corporelle du questionnement, errance. Maintenant, écorce, je dors sous les ponts et me détache au printemps. Je mue ou alors j'en remets une couche. Soit je décampe, soit je me protège, pour que vienne une autre saison. Je ne veux plus vivre ainsi. Dans un pays rouge et blanc, on m'a appelé saisonnier. Je venais comme les fleurs au printemps, partais à l'automne lorsque l'on ne voulait plus de moi. Je ne peux plus vivre ainsi. J'aimerais une saison complète, avec montée de sève et épanouissement, doux déclin. J'en ai assez des équarrissages et des sections précoces. J'en ai assez des transplantations. Des ruptures de racines et des scies circulaires. J'ai trois roubles de mémoire géographique, quatre pieds de mauvaise conscience. Je souris aux inconnus, ainsi me deviennent-ils plus familiers. J'anesthésie ma famille, de cette manière puis-je continuer de survivre. Sous les ponts, je suis, pour ne plus voir le ciel. J'ai l'illusion d'un toit, d'une maison. La porte est la frontière. Le ciel est plombé d'étoiles fourbues. Je dynamite chaque matin d'un pan ce trop vieux théâtre, ce ciel mortier de milliers de murs, de milliers d'années, surface écho de monotones lamentations. Je l'ai trop vu, trop peu regardé. Je dis : « Rideau ! Nous devons changer de scène, changer de siècle, changer de ciel, de lieu. Changer d'être. Je dis bien : CHANGER ! »

Je me parle à moi-même, c'est encore préférable à la parole partagée que nul n'écoute. Sur les pavés, ouverts, je dors, dur. Benzine et chronomètres. Benzédrine et Valium. Douche. Bouche. Allumettes. Manger. Ligaturée en cercles, la mort aux dents. Je frotte une main contre l'autre, échange parfois un sourire appelé ici le sourire des moins que rien avec un anonyme camarade. Je commence ma prière en ornière de sainteté. Pierres, phalanges, je philosophe, corps perdu. J'attends que la garde la lève. Le matin, je crois entendre des cloches. C'est dans ma tête, c'est dans ma tête, dans ma tête seulement. Archange aux mains cassées, je me redresse, m'étire, en colère et coups de poing. Je pense à celui qui passe son tour aux guichets de la même frontière. Dans les mêmes habits, sous la même couleur. Je pense à celui qui suit, dans le même besoin et le même excédent d'être. Il vient s'asseoir en tailleur au triste tourniquet, au manège manipulé qui trois fois sur deux vous envoie au loin valser, sur les cases du retour au départ. Mon prochain, mon frère, vois le soleil convalescent, osciller les arbres sous le vent ! Vois le soleil, les arbres ! Vois la route ! Vois le sourire de ces enfants ! Vois l'aube se décalquer sur la paume de nos mains ! Vis de vertige !

Je prie pour les suivants, me dédouble de silence. Je reviens d'origine, me dédouble d'impuissance. Je prie. Je ne demande rien pour moi-même. Un non-cachet à mon non-passeport efface la rotondité d'être. Je me casse les dents sur des données insaisissables, me brise en éclats sur les fonctions de cette réalité. Je crois Bouddha, mon visa est périmé. Je crois au don, l'expulsion est pour demain. À la fraternité, c'est pour plus tard me dit-on. Je crois à la parole, au partage, ON me vide les poches, ON me colle au mur camarade ! ON me met à terre ! On me donne trois litres d'eau sale à la louche. ON me tatoue les poignets dans le train avant de franchir les ponts du toujours mauvais sens. Je dors à même le sol avec des pièces de cinq francs pour oreillers, des gobelets de plastique en transparences. Je suis *border-line* m'a dit l'expert. Ils ne savent plus quoi faire de moi. Ils ne veulent pas que je sois là. Ils ne savent plus où me mettre.

Je me saisis de graphite, d'un bout de bois, d'une plaque de miel dur, de savon cuit, de sable froid. J'écris pour être une distance à l'œuvre ! Je suis d'être dans l'esprit, de l'esprit en appartenance. Hors du contact avec l'autre, hors du contraste de l'autre, je marche en sous-location à dominer l'indicible. Tourbillonne le silence, asthmatique aux ondes des dominantes vagues. Au bord de mer, les désirs de poésie sont paraboles souples sous le vent. Au bord de mer, les désirs sont promesse de vie, traces de pas. Ils sont sectionneurs de souffle, sons de cannes sur marbre inhospitalier, appui ou main courante.

Je dis : « NE CHERCHEZ PAS LE SENS MAIS PERCEVEZ L'ÉMOTION ! »

Ma peau est empreinte de pensée. Ma peau est mon histoire. Ma peau et moi.

Est-ce que je sortirai un jour d'ici ? Est-ce que j'irai encore me promener le long des voies ferrées, le long des fronts de mer ? Je reste cloîtré dans l'infini du monde. J'écris pour ceux qui viendront à ma suite se poster à la frontière. Je déroule rubans de soie, rubans de larmes, rubans d'un temps rêche transis de violence. J'écris comme un souffle de déveine, poches trouées, pour ceux qui rient les yeux fermés. Vais-je un jour sortir de chez moi ? Mon Dieu, vais-je-un-jour-sortir-de-chez-moi ?

La folie murmure, tachycardie au baromètre de la folie montante. Une vision s'élève au poumon droit des autoroutes radiales. En bouquets scindés, les passerelles font retour sur elles-mêmes. Scintillent les dédoublements de personnages sous la multiplication des masques. L'anonymat est prémisse d'oppression. L'anonymat est oppression, meurtre. Je cherche encore du flou éphémère un socle, une base. Je cherche la crête, l'arête, l'économie du souffle. Je cherche la possible communion, l'épargne des mots en pesanteur. On me montre des rapports anthropométriques, on me conseille de ne pas sourire. Face, profil. Empreintes digitales. On me conseille de ne pas en rajouter. Je vide mes poches vides. Je parle paroles creuses. Ils veulent tout savoir. Ils n'écoutent pas. À toutes les douanes ON m'a remis à terre. Des genoux sur la gorge, leurs membres contre mes membres, en fonction du rejet. ON m'a cassé les os, à tous les check-points ON m'a dit : « *NO WAY !* » On m'a dit : « Tu vas *NOWHERE*, tu es *NOBODY !* Badges ? bouge, bagne. Permis ? pars, prison. MARCHE ! L'oppression a son vocabulaire, le pouvoir sa grammaire. Paix ! »

Je dis : « ILS SOUHAITENT TOUT SAVOIR, MAIS ILS N'ÉCOUTENT PAS ! »

Pourtant tout est là, tout est déjà donné. Tout est présent et révélé.

ON m'a questionné, monochromes, des grains de sel dans le regard. Parler est une signification d'être. Je me suis tu. Précédant la parole, est impérative la sensation que le souffle va être écouté. Pareillement, le souffle doit percevoir l'attente. Parler révèle. Ils n'ont pas voulu entendre. Alors les bombes sont tombées. Je retarde l'instant du saut. J'attends la rencontre de l'Homme qui saura l'être. J'attends celui qui saura se taire, attendre, saura savoir, pourra apprendre. Il n'y a que deux choses importantes maintenant : savoir respirer et pouvoir s'en abstenir. Je n'ai pu que me défendre de n'être pas celui qu'ils prétendaient. Je n'ai pas eu le temps d'être moi-même.

Je demande trop à mon frère, à ma sœur, à cet autre à venir. Trop, je lui demande d'être lui-même. Il ne m'entend plus lorsqu'il ajoute quatre numéros et une barre à son nom, au mien. Il change le sien, me le supprime. Nous ne parlons plus le même langage. Nous ne parlons plus, tous deux sommes asservis. Avons-nous donc tellement de foi dans les chiffres pour leur donner pouvoir de nous régir ? Est-ce bien ces caractères que nous voulons comme nouveaux dieux ? Je rêve trop de cet autre aux mains de voiles, au cœur à l'Ouest. Dans les grandes villes, les attentes se croisent ou non, réelles aux détours des possibles. C'est à celui qui joue le mieux de l'illusion. Je vois courir mes petits frères vers une nouvelle ville, nouvelle vie, nouvelle ronde. Ils se postent au bord des routes et parfois se déhanchent. Succédanés les carreaux, carrés, immeubles, cartons, caddies, cabas, cassé, cassant, conformes. La négation du prochain est un meurtre généralisé. Je traverse cette route, celle-là même qui remplit, courage, donne sur la destination des réservoirs la portée du voyage. L'instant à genoux conservé, celui de vie, celui éveil, passe par l'illumination. Je m'évanouis comme advenu, par inadvertance, sur la pointe des pieds. Je ne vois pas venir vois pas venir vois pas venir, voies pas venues. Retour au nu de l'origine, au vertical plongeon. Je passe. Souterrain travail, de l'impossible à reproduire. L'illumination ne se commande pas, elle est affaire d'astres, de rotations souterraines, de mécanismes lunaires. Par cette voie où il faut passer, la perte est immense. C'est pourtant la seule route qui vaille. Par là où il faut passer, la souffrance est immense. Elle disparaît lorsque le col atteint, on se déplace vers la plaine, en roues libres.

J'ose reprendre la route, me place en arête à sens unique. J'ose traverser la suivante. Je passe et repasse la suite de la suivante. J'ose après moi-même marcher, sans peur de ne plus me rattraper, ne plus me trouver, puisque *je* est ailleurs. J'ose courir après moi-même sans peur de me sauver. Je me couvre de fuite et réponds à l'appel du lointain. Je reviens au K.O., à l'arcade ouverte, mercurochrome, aux ampoules d'eau aux mains. Je passe, repasse, d'un non secourable affirmé. N'y a-t-il point d'images plus fortes que celles qui ordonnent le départ d'une voix impérative ? La fuite et la perte et le deuil de sa mort ?

Je me blesse souvent. Comme un enfant, je ne réalise pas le danger. Ils me disent que je suis le danger. Je ne crains pas la douleur. Je suis la douleur, elle est chose trop abstraite. Comme nouveau-né, j'ai une connaissance imparfaite, trop neuve encore. J'expérimente et m'échappe des lieux des rôles où l'on a voulu me placer. Je me blesse souvent, en des endroits chaque fois différents. Peut-être ainsi me faut-il marquer mon corps ? Je m'entraîne à me construire une seconde peau, une membrane protectrice. La première était objet de rejet, d'agressions. La première me faisait trop souffrir. Peut-être apprend-t-on ainsi, des écorchures au corps et des coups au cœur ? Je garde de mes voyages quelques hématomes aux chevilles, aux poignets. Lorsque les choses sont allées suffisamment loin, j'en garde à l'âme. Alors oui, j'ai vécu, j'ai vécu, j'ai vécu, et ce cri de joie est un gouffre immense. Les décalages horaires, les matraques m'ont abîmé le cerveau. On m'a gardé à vue, comme un criminel, alors que je ne demandais que la vision. Je ne demandais que la vision.

L'indifférence. Les portes sont maintenant automatiques, leur ouverture est contrôlée par digicode. Les fenêtres sont condamnées, les voix métallisées ou préenregistrées. Les caméras surveillent l'espoir suspect de la parole. La magie de l'esprit est troquée pour un calorifère, le dernier sèche-linge programmable. La réalité devient douloureuse, elle ne ressemble plus au rêve, aux mains tendues, aux mains baisées. Je demande l'asile *MEINE LIEBE*, asile à l'amour. Tout ce qui est hors du lien est oppressant. Tout ce qui n'est pas d'amour est à mort, préparation de meurtre, n'étant offert est perdu.

J'attends du voyage la rencontre de mon frère parti transi dans un train de nuit. J'attends du voyage le retour de ma sœur partie au-delà du fleuve en direction des usines désaffectées. De l'errance, j'attends un signe de vie de mon père, la guérison de ma mère. J'attends du voyage la substance pour bousculer l'espace. Je n'attends plus rien. Comme la peur, l'espoir n'est plus qu'instinct.

Je suis parti si loin et si souvent. Je n'attends plus rien. Je passe, je repasse. Je n'arrête pas de passer. Je poursuis vers le Nord, vers le Nord du Nord. De celui-ci je n'attends plus rien. Je passe, je repasse.

Vers le Nord...

Vers le Nord...

MARIE-ÈVE BELZILE
Lévis

Les triangles

Je lui dis que dans mon enfance le malheur de ma mère a occupé le lieu du rêve. Que le rêve c'était ma mère et jamais les arbres de Noël, toujours elle seulement...

Marguerite DURAS, *L'Amant.*

Je ne sais pas si c'est à cause des angles aigus ou des lignes droites, des cercles ou des carrés. Je ne connais rien à la géométrie. Mais, si je réfléchis très fort, si je ferme les paupières serrées, si j'écoute la terre tourner, je finis par sentir à nouveau, dans mon ventre, cet attachement triangulaire.

À ma naissance, je me suis présentée par le siège. Il a fallu qu'on ouvre le ventre de ma mère pour me laisser naître. Les médecins ont été obligés d'étirer mon corps pour allonger l'espèce de cylindre qui me retenait. La tape sur les fesses a ramené mes bras vers l'avant. Une figure mouvante. Il paraît que j'ai hurlé jusqu'à ce qu'on ajuste sur ma tête un bonnet en forme de cône et qu'une couverture m'enveloppe. C'est mon père qui me l'a raconté. Il l'a su du médecin. Ma mère ne parle pas. Elle regarde. C'est peut-être parce qu'ils lui ont fait trop mal en lui découpant le ventre.

Après, il y a eu mes deux frères. Nous formions un trio congru. Moi, au sommet, pour diriger et couvrir d'ordres mes deux jumeaux. Le carré de sable, en arrière de la maison, s'est vite transformé en terrain de jeu favori. Il n'y avait pas d'arbres dans la cour. Juste le poteau de la corde à linge avec une cabane d'oiseau abandonnée. Quand nous jouions à la cachette, nous tournions autour du cabanon. La clôture se trouvait aussi près de la balançoire. Dans nos élans trop prononcés, nous nous retrouvions presque embrochés sur le bois. C'était toujours le dernier-né qui se balançait sur le petit cheval en métal. Moi, je préférais me retenir aux chaînes de la balançoire et lever mes jambes vers le ciel. Celui du milieu, il essayait de me suivre et de pointer encore plus haut ses souliers de toile blanche. Juste pour le plaisir de me faire hurler.

Quand on criait trop ou que l'un de nous pleurait, ma mère finissait par se noircir le nez sur la moustiquaire, à l'affût du coupable. Comme mes deux frères, elle avait le visage en triangle. Une face bien remplie avec un menton pointu. Moi, mon menton était mis en évidence puisque dans le pli et sur le bout arrondi, trois grains de beauté avaient été plantés. Un triangle parfait. Quand j'y repense, j'ai les épaules qui sautent et la gorge qui s'étrangle. Mon père, lui, il avait le torse découpé par son travail avec les pelles de construction. Il était en charge de toutes les pancartes de circulation orangées découpées en cercle, carré, rectangle ou triangle...

Je me souviens. Je me revois jouer avec mes frères. Nous bâtissions des châteaux avec les vieilles pancartes que mon père ramenait de ses chantiers. Dans la cour arrière, la couleur du gazon tranchait net avec tout le jaune orange qui reluisait sur le métal. Ma mère n'aimait pas vraiment que l'on se divertisse avec les rebuts rapportés par mon père de ses chantiers de construction. Mais elle finissait toujours par nous laisser tranquilles. Elle aimait mieux s'asseoir sur la galerie. Fumer des cigarettes légères. Quand elle fumait, il ne fallait pas la déranger. Ni même la regarder. Les yeux fermés, ses lèvres sèches embrassaient le filtre. J'avais déjà essayé de capturer un nuage de fumée dans un bocal, mais elle m'avait empêchée de m'approcher de sa bouche. Elle m'avait giflée. Au lieu d'être aveuglée par la fumée, pour la première fois j'avais vu rouge. Goûter rouge. Mais ça n'avait pas fait mal longtemps. J'avais eu droit à un verre de jus de fruits bien froid.

Quand mes frères se sont mis à grandir, j'ai perdu ma place en haut du triangle. Chacun son tour, nous nous sommes mis à donner des ordres. C'était le plus fort qui inventait les mauvais coups de la journée. Quand mon père a oublié de revenir un soir du travail, nous avons fini quand même par manger nos soupes Lipton. Tous les trois, nous fixions les nouilles au fond de nos bols. Je suis certaine que nous avions la peau jaune comme le bouillon. En plus, je m'étais brûlé la langue. Nous sommes restés assis sur les chaises de la cuisine à zieuter la porte jusqu'à ce que ma mère nous crie d'aller dormir. Quand le soleil s'est levé, nous avons dit adieu à nos différentes combines et à la soupe au poulet. La ruelle a disparu, le carré de sable a été vidé et le cabanon brûlé par ma mère. Mais ça, je n'en suis pas certaine. Il se pourrait bien que, pour ça aussi, ce soit mon plus jeune frère le coupable. Il allait souvent dans la remise toucher aux outils de mon père. Je ne le lui ai jamais demandé. Il fait partie du triangle. On n'accuse pas ainsi quelqu'un qui fait presque partie de soi. On rit et on fait semblant que les pancartes en triangle ne sont pas menaçantes.

Même si c'est moi qui suis la plus vieille, je suis restée la plus longtemps au volant de notre tricycle. C'est mon premier frère qui m'a montré à faire de la bicyclette à deux roues. Et c'est mon plus petit frère qui me donnait des poussées dans le dos pendant que l'autre me hurlait de pédaler. J'ai toujours détesté la bicyclette. Trop de bruit dans les oreilles. Trop de vent qui frappe le visage. J'aime mieux la vitesse qui chante sur l'asphalte et qui fait suer en sautant à cloche-pied.

Dessiné avec des craies, dans la rue, mon premier jeu de marelle n'a pas été une réussite. Je n'ai pas voulu le tracer en carrés. J'ai préféré dessiner des triangles. Ainsi c'est beaucoup plus difficile de se rendre jusque dans le Ciel. Les pieds dépassent et piétinent la pointe du dessin. Même mes frères ont essayé. Il y a juste moi qui suis capable. Juste moi qui connais la grandeur exacte de la figure. Je suis l'aînée. C'est sur moi qu'ils lancent des roches.

À l'école, je suis séparée de mes frères. Mais j'ai deux amies. On a toutes les trois les cheveux bruns. Toutes les trois presque la même grandeur. Toutes les trois les mêmes robes. Il y a juste nos yeux de différents. Mes frères n'aiment pas mes amies. Ils disent qu'elles racontent trop d'histoires. Des conneries inventées... Moi, j'aime bien les histoires. Ça change des coups de poing et des coups de pied. Ça fait rire et danser. Ma mère ne veut pas que je danse. Elle dit que je suis trop jeune. Que je la dérange avec la musique de mon tourne-disque.

Quand elle sort fumer sur la galerie de l'appartement, je m'enferme dans sa chambre. Je mets sa paire de souliers à talons hauts. Je bouge devant son miroir. Je fais jouer ma chanson préférée dans ma tête. La musique ne saute jamais. Mes pieds ne sont pas encore assez grands pour remplir tout le soulier, alors je me concentre pour ne pas renverser les talons et tourner mes chevilles. Il ne faut pas que je brise le renfort des souliers. Il faut juste que j'attende que mes pieds poussent et que mes jambes s'allongent encore. Je suis certaine que j'aurai de longues jambes. Je suis sûre que je danserai. Mais pour l'instant, je ris et je mange mes lèvres.

L'autre jour, mes frères étaient malades. La voisine est venue me reconduire à l'école. Pour le dîner, il fallait que je revienne à la maison toute seule. Je n'avais pas vraiment peur. C'est juste que je me rappelais la liste des enfants disparus que la maîtresse nous a montrée. Je ne me décidais pas à choisir une direction pour aller manger. À travers la cour de récréation ? C'était trop risqué. Une trop longue marche. Le stationnement des professeurs ? Peut-être qu'un abuseur d'enfants s'y cachait. J'ai attendu. J'ai couru. J'ai essayé le début des deux chemins. J'ai finalement choisi de franchir la cour de récréation des grands. Ils ne m'ont pas regardée. Il n'y avait plus personne. J'ai continué à avancer. J'ai traversé la rue. Je n'ai pas rencontré le brigadier. Mais j'ai souri quand même au coin de rue où je dois attendre que la lumière devienne verte. Et là, j'ai vu une auto se garer sur le bord de la chaîne de trottoir. C'était la voisine. Elle m'a seulement dit de monter dans la voiture. J'étais soulagée que ce ne soit pas un abuseur d'enfants. Un abuseur... Les grands disent que c'est comme le Bonhomme Sept-Heures. Abuseur, ça me fait penser à amuseur. Ce sont les « zzz » que ça fait dans ma bouche que je trouve drôles.

Quand je suis descendue de l'auto, j'ai vu ma mère sur le perron. Elle n'avait pas le grillage de la moustiquaire étampé sur la figure, mais elle avait de la fumée autour des cheveux et les yeux rouges. Je me demande si c'est à ça que ressemble un abuseur d'enfants. Ma mère n'a pas bougé. Elle a attendu que je monte l'escalier. Là, devant mes deux frères en pyjama à moitié cachés derrière la porte, j'ai senti sa main claquer ma joue. Elle m'a seulement dit de ne plus recommencer et d'aller boire un jus de fruits. Je n'avais pas le goût de boire un jus de fruits. Juste un goût de coup de pied. Un élancement dans le bas de la jambe. J'aurais bien aimé qu'un de mes frères s'approche de moi.

Ce n'est pas de ma faute si je suis tout le temps perdue. Je connais bien le chemin pour me rendre à l'école. C'est juste que j'ai des idées qui font du jogging dans ma tête, qui transforment le nom des rues en celui de routes inconnues. Les visages familiers, en étrangers. Je devrais peut-être dire à ma mère que c'est la faute de mes souliers. Peut-être que si elle me permettait de porter mes espadrilles, je suivrais les bons trajets. C'est la faute de mes chaussures en cuir. Mes orteils protestent. Ils sont coincés dans le bout pointu. Ils sont emprisonnés dans le triangle.

Ce matin, c'est le jour blanc. La journée du mois que je déteste le plus. Encore une fois, j'ai essayé de faire croire à ma mère que j'étais malade. Que je suis allergique au lait. Elle m'a fait signe de m'habiller en tirant mon drap de lit d'un coup sec. Mes frères ont ri. Dans leur enthousiasme à me faire des grimaces, ils ont même renversé du lait sur la nappe du déjeuner. J'ai été obligée de nettoyer. Mes mains sentent encore la vache. Ça ne sert à rien de les laver parce qu'à l'école, aujourd'hui, c'est moi qui suis responsable d'aller chercher les berlingots de lait. Je dois me rendre au rez-de-chaussée avec la caisse en plastique pour les prendre dans le réfrigérateur de la salle des professeurs, les compter et les disposer correctement. Il y en a toujours un qui fuit. Je reste silencieuse et je le replace dans le réfrigérateur. Le bac dans les bras, je ne suis pas capable de remonter en classe. C'est la faute de la noirceur dans ma tête qui m'étourdit. Le trou noir m'a forcée à m'asseoir dans l'escalier. J'ai ouvert un berlingot. J'ai bu un peu de lait. Pour me faire une moustache. J'avais le goût de crier « meeeuuuh » à tue-tête. D'éventrer le berlingot et de répandre le liquide blanc partout sur les marches. Comme des cascades. Mais j'ai plutôt attendu. Ensuite, je me suis levée et j'ai marché. Je ne sais pas pourquoi. Je voulais que mon cerveau enregistre une illumination. Mais, rien. C'était trop difficile de retrouver le bon local. Trop de rires de la part des élèves des classes inconnues dans lesquelles j'entrais. Pourtant, j'ai bien essayé de mémoriser tous les dessins dans les corridors. D'apprendre en ordre tous ceux qui me mènent jusqu'à mon crochet où sont suspendus mes vêtements, à côté de la porte de ma classe.

Ça ne sert à rien... C'est ce que ma mère a dit à mon professeur. Elle lui a confié, le combiné de téléphone camouflé sous ses cheveux, qu'elle pensait que j'avais la tête vide. La tête de ma mère, du haut de son dos arrondi, ne comprend rien. Si j'oublie mes livres dans mon pupitre, si mes pieds s'égarent, si je perds toutes les semaines ma gomme à effacer, c'est à cause de l'obscurité qui mélange toutes mes idées. De la fumée qui brouille ma vision et qui m'oblige à faire sauter des tours à ma respiration. Du trou dans mon cœur fabriqué avec la perceuse en plastique de mes frères, elle qui aspire tout et ne remplit jamais rien. Jamais.

La maîtresse a dit à ma mère qu'elle ne devait pas s'inquiéter. Qu'elle verrait personnellement à ce que ma tête se remplisse de connaissances. Qu'elle me garderait à l'œil. Qu'elle me ferait faire des exercices d'orientation. Elle a averti les autres élèves de la classe. Ils ne doivent pas me distraire. Elle a placé mon pupitre dans le coin. C'est à cause du garçon aux cheveux trop clairs. Il n'arrête pas de se moquer de moi. De mimer les traits de mon visage dans le reflet de la vitre. Ce n'est pas moi qui regarde par la fenêtre. Ce sont les couleurs et la lumière qui viennent me chercher, même si je sais bien que je devrais rester concentrée.

J'ai déménagé encore une fois mon pupitre en le faisant doucement glisser. J'ai failli le faire avancer jusque dans le corridor. Je me suis retenue. Les pattes de ma chaise ont crié. J'ai soupiré. De toute façon, si j'avais désobéi, j'aurais certainement dû dire adieu au triangle métallique de la classe de musique. J'ai regardé une dernière fois par la fenêtre.

Le soir, dans l'appartement, on regarde la télévision. Moi et mes frères, je dis toujours moi en premier, c'est parce que je suis l'aînée – pas parce que je suis impolie –, on se colle les épaules dans le fauteuil. Il y a deux fauteuils. Celui de ma mère et le nôtre. On ne pose pas de questions. On fait comme notre mère. On regarde, mais nous au moins on rit fort. Des fois, on crie. Juste pour qu'elle nous regarde et ouvre la bouche. Des fois, ça fonctionne. Elle remue les lèvres. Dans ce temps-là, on est très contents et on écoute sagement parce qu'on sait que ça ne durera pas longtemps.

Ma mère n'a pas de souffle. Ma mère n'a pas de cœur. Juste une pompe à fumée. Dans son fauteuil, quand elle pense qu'on ne fait pas attention à elle, elle fait des ronds. C'est ce que j'aime le plus de ma mère. Elle n'est pas comme notre triangle. Non. Elle préfère les ronds. Les cercles bien définis qui s'effacent sans faire de bruit. Moi, je crois que je ne serai jamais capable de devenir un cercle. J'ai trop besoin de mes frères. Ma mère, elle, elle n'a besoin de personne. On dirait que plus ma mère fume, plus elle fait disparaître l'image de mon père dans ma tête. En plus, avec toutes les idées que j'apprends à l'école, on dirait que je dois couper des souvenirs pour faire de la place dans ma tête. Je n'aime pas l'école. Je n'aimerai jamais l'école.

Je ne parle pas de « ça » à mes frères. Ils ne comprendraient pas. Eux, ils jouent. Ils ne pensent pas à notre père. Ils tuent des petits oiseaux et les enterrent. Mais c'est moi qui suis en charge des pierres tombales. J'ai plus de goût. Je choisis les couleurs et les formes. J'ai même construit une clôture en roches pour encercler notre cimetière. J'ai couché des morceaux de gazon sur les tombes des oiseaux. Sur celle de mon préféré, j'ai mis des pissenlits. Mes frères ont ri. Ils m'ont dit de me contenter d'agrandir la clôture. Ils veulent mettre plus de tombes. Tuer plus de moineaux. Je n'ai rien dit. Je ne dirai pas à ma mère ce qu'ils font des oiseaux. Je ne veux pas qu'ils me dénoncent. J'ai embrassé mon préféré avant qu'ils l'enterrent. Même s'il n'était plus chaud, son corps était doux. J'ai pensé que j'aurais bien aimé me transformer en oiseau et avoir des plumes douces douces...

J'ai embrassé un autre oiseau mort. Mes frères m'ont dit que ça me porterait malheur. Je ne leur ai pas confié que je tentais seulement de goûter à la mort. J'aimerais bien connaître la mort. L'apprivoiser, pour ensuite aller visiter mon père. Je suis certaine que je pourrais ensuite revenir et continuer de grandir. Je voudrais juste le voir. Le toucher. Je voudrais qu'il me prenne dans ses bras comme quand j'étais un bébé. Qu'il m'embrasse. Me berce. La mort ne me fait pas peur. Elle me fait juste couler les yeux. La mort mouille les collets de mes chemisiers. Les cols de mes chandails. Mais la mort, de ses larmes, n'a attaqué ni ma mère ni mes frères. La mort n'a fait qu'augmenter la quantité de ronds qu'expulsent les poumons de ma mère. Elle n'a permis qu'à une plus grande quantité de cris de franchir les lèvres de mes frères.

Aujourd'hui, c'est la journée des mathématiques à l'école. On dessine des ensembles. On place des chiffres. Mais je n'ai pas le goût de compter ni de réfléchir à quel ensemble appartiennent les chiffres. Dans ma tête, je prépare un plan. Je vais partir. Je le sais que je le ferai. J'en ai parlé à mes deux amies et elles m'ont dit qu'elles me suivraient. Qu'elles viendraient avec moi au dépanneur et qu'ensuite on irait manger tous nos bonbons dans le parc de l'église. Dans mon sac d'école, il n'y a pas de livres. Seulement un pyjama, une robe et mes souliers de toile. La première chose que je vais faire en sortant de la classe est d'enlever et de jeter dans la poubelle mes souliers de cuir. Je n'ai pas parlé de mon projet à mes frères. Ils auraient certainement voulu m'accompagner. Mais ils auraient tout gâché. Le plus jeune, il aurait averti ma mère. Elle réussit toujours à lui faire dire ce qu'elle veut, sans rien demander. Avant d'entrer dans la cour d'école, mes frères n'ont pas voulu que je les embrasse. À cause des deux oiseaux morts. Je n'ai rien dit. Je leur ai soufflé deux baisers. Même si je sais que je ne les reverrai pas, je ne sens pas de boule dans la gorge. Juste une arête de triangle brisé.

La cloche a sonné. Je suis dans l'escalier. Il faut juste que je reste concentrée et que je prenne la bonne porte de sortie. Celle qui donne du côté de la rue qui mène à l'église. En prenant ce chemin, je ne risque pas de rencontrer mes frères. Mes deux amies me suivent. Elles ne parlent pas. Elles attendent les bonbons. J'ai fait tinter la clochette d'entrée du dépanneur. J'ai acheté des gommes à un sou. Des réglisses rouges. J'ai remis la monnaie dans mon sac à dos. Elles m'ont suivie jusque sur le banc de parc. J'ai partagé en trois le contenu du sac en papier brun. J'attends la bouche pleine. Je regarde autour. Le soleil brille, mais je vois bien qu'il commence à s'épuiser. Je lui offrirais bien une réglisse, question qu'il ne me lâche pas tout de suite et que je ne doive pas faire face à l'obscurité.

Trop concentrée sur la boule de feu qui prend la couleur de ma gomme à mâcher, je n'ai pas aperçu tout de suite l'homme assis sur le banc voisin. Il me fait des sourires. Il s'approche. Il me dit que ce sont des beaux bonbons que j'ai choisis. Je lui donne une réglisse. Ses yeux rient. Il me demande ce que je fais ici. Je dis que je réfléchis. Que je pense aux oiseaux que mes frères ont tués et enterrés. Il me demande si j'aime les oiseaux. Je lui dis que oui. Que j'adore les oiseaux parce qu'ils sont doux. Il dit qu'il connaît un endroit où il peut faire apparaître des oiseaux de différentes couleurs. Il me demande si je veux faire connaissance avec ses oiseaux. Je dis oui. Je le suis.

On marche dans une rue. Il y a des arbres. Il me raconte des histoires sur les voyages des oiseaux. Je lui dis que j'aime beaucoup les histoires et que mes deux amies m'en racontent souvent. Je me rends compte alors qu'elles sont parties. Mais ce n'est pas grave. L'homme me tient la main en me disant que ma peau est aussi douce que les plumes des oiseaux. Il me demande si je vais vouloir toucher les oiseaux. Je dis oui. Je dis que j'ai même déjà embrassé deux oiseaux morts. Il rit.

C'est un drôle d'amuseur.

Je lui dis que je veux voir les oiseaux maintenant. Qu'après, je veux retourner à la maison. Je commence à frissonner. Il affirme qu'on est presque arrivés. Il dit que c'est une bonne chose que j'aie des souliers de course puisque là où on va, il y a des buttes de sable. Je ne rouspète pas. Je continue d'avancer. Plus vite je verrai les oiseaux, plus vite je retournerai chez moi.

Nous sommes arrivés. Pourtant, l'amuseur m'explique que les oiseaux sont tous partis dormir. C'est vrai. C'est sombre. Le soleil est presque couché. Ce n'est ni le jour ni la nuit. Comme toujours dans ma tête. Je me demande si ma mère a les yeux rouges, si ses cheveux emprisonnent la fumée. J'espère que oui. J'espère que mes frères regrettent les baisers que j'ai voulu leur donner. Moi, je regrette maintenant d'avoir dit à l'amuseur que j'avais une robe dans mon sac. Il veut que je la porte et que je danse pour lui. Je ris. Je dis que je n'ai pas les jambes assez longues. Que je n'ai pas les souliers à talons hauts de ma mère. Il affirme que ça ne fait rien. Il me chuchote dans l'oreille que les vraies danseuses n'ont besoin d'aucun accessoire. Il rit.

Je n'ai pas eu le temps d'enfiler la robe. Elle a valsé toute seule sur le côté. J'aimerais bien crier. J'aimerais bien courir. J'aimerais bien que mes frères lui donnent des coups de pied. Des coups de poing. Lui lancent des roches. Déchirent son linge. Tirent ses cheveux. Pincent son derrière. Mais non. Rien. Je me suis fait prendre. Assise sur ses cuisses. Je ne serai plus jamais capable de marcher, je pense. Je n'ai pas vu les oiseaux aux différentes couleurs. J'ai seulement entendu des cris. Je crois que j'aurais aimé mieux rencontrer dix fois le Bonhomme Sept-Heures.

Il bouge sur le côté. Moi je suis complètement paralysée. Je guette mon père. J'attends qu'il vienne me chercher. Je sais qu'il va venir. Il suffit de ne plus respirer. De chanter dans ma tête et de rêver que je danse. Mais je ne danse pas, je dévale une butte en soulevant des nuages de sable. Peut-être que c'est ma mère qui vient me chercher ? Peut-être que c'est la fumée de ses cigarettes ?

Je suis sans mes frères. Je suis un oiseau à qui on a brisé les ailes. À qui on a tordu le cou. Je ne volerai plus. Je ne danserai jamais pour vrai. Je vais disparaître dans le sable. Un angle aigu au fond du ventre.

Quand
la clarté atteindra
la butte, les oiseaux seront revenus. Mon père
m'aura bercée dans ses bras. Je me présenterai par le siège
aux policiers. Cette fois, il n'y aura pas de deuxième triangle.
Juste les cris de mes frères et les cercles de fumée
de ma mère pour me faire disparaître en poussière.

PASCAL MORNAC
Liège

Il y eut un soir, il y eut un matin

Je ne sais plus qui a dit : « L'ombre, c'est être seul. » Lorsque, éveillé la nuit, vous constatez qu'on ne voit rien, vous êtes seul. Lorsque vous fermez les yeux pour pleurer dans le noir, vous êtes tout seul. Lorsque la mort vous arrache aux bras de tant d'êtres chers, vous êtes encore seul. Mais ce soir, je sais que je ne le suis pas, seul. Les graviers du chemin crissent sous mes pas. Depuis combien de temps suis-je en route ? Qui le sait ? Moi, mais je veux l'oublier. L'obscurité allonge les distances, étire les minutes et les secondes. On ne mesure jamais dans le noir. C'est toujours trop court ou trop long. Je sens la présence derrière moi. Un craquement à droite, un glissement de feuilles à gauche. Tellement de petits riens si gigantesques. Je lève les yeux pour contempler le ciel. La nuit est comme le bois. Il en existe toutes sortes d'essences. Cela ne tient pas tant à la température, à la pluie ou au vent. C'est bien plus profond, presque primitif. Il est des nuits à l'atmosphère légère qui vous emporte, vous pousse et vous invite à les parcourir. Et puis il y a les nuits poisseuses, filandreuses qui vous disent de ne pas aller plus loin. On a beau se battre et se débattre, elles vous collent à la peau. Telle est cette nuit. Je voudrais arrêter ma marche, mais je ne peux faire attendre.

Une lumière vient de s'allumer derrière moi. Jaune, rapide. Volte-face. Jaune, rapide, elle s'éteint. Je fixe l'obscurité. Un regard noir dans le noir. La présence à mes côtés retient son souffle. La lune soulève un voile de brume pour entrevoir la scène. Quelques secondes s'étirent et la marche silencieuse reprend.

Hier, il a neigé. Les champs sont couverts d'un épais film blanc. Seuls quelques arbres isolés et noirs rythment la monotonie immaculée des champs alentour. L'espace semble s'étendre à l'infini. Partout où se porte le regard, le paysage est le même. Et je suis au milieu, dans la nuit qui ne veut pas de moi. Ce soir, parce qu'on ne fait pas attendre...

Sur le chemin, la neige s'est transformée en une boue noirâtre. Les ornières larges et profondes m'obligent parfois à allonger le pas. Des petites flaques d'eau croupie peinent à rendre le pâle reflet de la lune. Mais il semble que pour elles seules l'astre se dévoile. Lorsque je le cherche des yeux, il tire à lui les nues, se cache, se détourne comme pour exprimer son mécontentement. La nuit désapprouve mes actes. La nuit maudit la présence. Je tremble.

Mon grand-père était un conteur médiocre, mais, enfant, je ne m'en souciais guère. On croit toujours que les vieux racontent bien les histoires car ils en ont vécu tellement. Mais ce n'est pas le cas de mon grand-père. Il me revient une de ses histoires à propos de la nuit. Les anciens pensaient que la lune remarque nos actions les plus cachées, les plus secrètes car elle est le seul œil qui reste ouvert quand tout le monde dort. En mourant, certains allaient près du soleil pour réchauffer la terre. D'autres vivaient dans la lune où ils rendaient compte de leurs actes. Cette idée me glace le sang. Mais je ne peux attendre.

La route coule entre les bocages enneigés jusqu'à un petit bois. Impossible de le contourner. Il est curieux de voir comme un bouquet d'arbres anodin peut prendre une apparence si menaçante dans l'obscurité. Mais n'est-ce pas notre cas à tous ? Au grand jour, ne sommes-nous pas de simples hommes ? Pourtant, je ne vois que visages blêmes, regards fuyants et fronts baissés. Qu'est-ce qui me différencie de ces animaux humains ?

La sente qui court à travers les feuillus est couverte de branches mortes et déchirée par des racines affleurantes. Je trébuche souvent sans tomber. La peau rugueuse des arbres m'écorche les mains. La présence est plus proche que jamais, mais je ne peux pas fuir. Malgré l'obscurité, je vois des volutes blanches s'échapper de ma bouche. La chaleur s'échappe peu à peu de mon corps. Je marche, étranger à tout ce qui m'entoure. Soudain, le débit des petits nuages de vapeur augmente, mais je ne suis pas essoufflé, pas fatigué. Pourquoi ce changement ? J'ai peur, voilà la raison. Une lumière s'est glissée dans mon inconscient. Je ne l'ai pas vue, juste perçue, mais elle est bien là. Plus avant, sur la gauche, une clarté chaude perce l'ombre d'un rideau de frênes. Mon pouls s'accélère. Le dessin des grands arbres sur le sol danse quelques instants puis s'immobilise. Mon cœur s'emballe dans ma poitrine alors que je m'approche. Dissimulé derrière un tronc, je scrute une petite clairière. Un vieil homme, une lampe-tempête posée près de lui, ramasse des brindilles de bois.

Son bras gauche, chargé d'un fagot, tremble sous l'effort. Mais je le reconnais. Son fardeau est plus lourd encore que ce bois mort. Il porte les siècles des hommes sur son front. Son long manteau noir n'est pas maculé de boue mais de taches plus permanentes et honteuses. Vais-je rester caché ? Je sens la tension, presque palpable, de la présence à mes côtés. Malgré moi, je sors de l'ombre et m'avance dans le halo de clarté. Le vieillard lève les yeux. Il sait qui il a devant lui. Il ne résistera pas, ne tentera même pas de fuir. Je m'approche jusqu'à mêler mon souffle au sien. Il ne baisse pas le front. Geste rapide. Il s'écroule, les bras toujours crispés sur ses brindilles. Une flaque noire s'étend à mes pieds, souille mes bottes, salit la terre et les racines. Je pense : « Et de un. »

Mes yeux quittent cet homme déjà froid pour contempler le ciel et cette lune, toujours la lune, qui me regarde derrière son écharpe de nuages. Les cimes chauves des arbres semblent lui rapporter mon fait. Je pense à de grandes mains sorties du sol pour demander secours. La présence derrière moi, qui n'avait pas bougé, s'empare de la lanterne et l'éteint. L'obscurité est à nouveau totale. L'ombre, toujours l'ombre. Cela ne sert à rien d'attendre.

L'orée de la forêt n'est pas loin. Au-delà, toujours les champs de glace. La même nuit, le même silence. Mais moi, je ne suis plus le même. Je viens de me déchirer. La fracture qui menaçait est consommée. Je regarde mon ombre projetée sur la neige bleue. Elle est plus voûtée, me semble plus grêle. J'ai beau redresser le dos, lever la tête, rien n'y fait. Comme si une part de mon humanité s'était définitivement mêlée au sang du vieillard pour transformer cette terre en boue immonde. Mais n'est-ce pas là le propre de notre action ? Qui peut le dire ? Ceux qui le pouvaient ne sont plus là. Je débite en moi-même un tas de lieux communs auxquels je refuse de croire. Je veux me persuader que j'ai ressenti quelque sentiment. Je serais fier de me détester. Mais l'heure n'est pas au questionnement. La présence me pousse à poursuivre. On ne peut s'arrêter en si bon chemin.

Déjà, dans le lointain, j'aperçois la fin de mon voyage. Mais ce lointain me paraît trop proche. Dans moins d'un quart d'heure, j'y serai. Tout homme vit en pensant qu'un instant particulier changera son existence. Parfois il ne survient pas et la vie s'écoule comme elle avait prévu de s'écouler. D'aucuns cependant ont des vies hors du commun. La mienne va-t-elle prendre cette voie ? Et si je refusais ? Si, maintenant, je faisais demi-tour ? Si je ratais ce rendez-vous, un autre irait-il à ma place ? La présence semble lire dans mes pensées car elle se fait plus pressante. Elle a hâte d'y être. Moi pas. Et je ne suis pas là pour choisir. Je ne suis pas là pour faire attendre.

Les quelques kilomètres qui me séparent de mon destin sont à découvert. Pas d'arbres, juste le chemin nu. Et la lune, mauvaise joueuse, se découvre à présent. L'éclat de sa pâleur projette mon ombre sur la neige. Et les innombrables silhouettes de la présence glissent sur le blanc hivernal. Cette file indienne court à travers champs pour se soustraire à la lumière. Plus que quelques mètres et nous serons dans le village. Un sentiment de malaise secoue mon être entier. Je n'ai pas le droit d'être ici. Ce n'est pas mon monde. Aucun signe d'agitation.

Une lumière diffuse et chaude semble sortir des maisons. Mais pas par les fenêtres. Elle semble davantage suinter des murs, des portes, des toits. De chaque escalier et de chaque cheminée. Est-ce mon trop long trajet à la seule clarté lunaire qui me donne cette impression ? Les murs se sont teintés d'un jaune orangé, comme la flamme d'une bougie. Il faudra souffler pour l'éteindre, un peu. Le hameau n'est pas bien important. À peine une vingtaine de maisons, la plupart en bois grossier. Je marche entre les habitations, m'arrêtant parfois près d'une porte. Toutes ont un petit étui de cuivre repoussé accroché au linteau. Sûrement un porte-bonheur pour préserver la maison du mauvais sort. Je risque un coup d'œil à travers une fenêtre. Nul ne peut me voir dans la nuit. Je suis la nuit. La scène que j'y découvre ne me surprend pas. Avec le temps, j'ai appris à ne plus m'étonner des coutumes singulières de ce peuple.

Un jeune couple est assis à une table. Entre eux brille un chandelier à plusieurs branches, disposées de manière linéaire. Je ne parviens pas à voir combien exactement. Une, deux... huit et neuf. Mais celle du centre est plus grande et s'élève au-dessus des autres. Un objet bien curieux en fait. J'en ai déjà vu de pareils ailleurs, mais ils ne comportaient que sept branches. Toutes de la même longueur. Encore une particularité locale, semble-t-il. Je n'ai jamais été versé dans l'étude des hommes. Seules quatre chandelles sont allumées. Trois d'un côté et la plus grande, celle du milieu, laissant ainsi toute une partie de la table non éclairée. Le ridicule de la situation m'apparaît soudain, pourrais-je dire, en pleine lumière. Pourquoi mettre neuf bougies si c'est pour n'en allumer que quatre ? Pour les regarder se consumer ? Quel est le vrai sens de cette scène et en a-t-elle un ? Dans leur immobilité, je sens une joie profonde. Comme s'ils faisaient la fête sans bouger. Tout simplement. Les yeux de la jeune fille luisent et semblent par moments dépasser en lumière les quatre petites flammes sur la table.

Ombre parmi les ombres, je poursuis ma visite. Dans la maison voisine, un homme seul tient un livre ouvert dans les mains. Il se balance d'avant en arrière. Un vieux chien le regarde et accompagne de la tête ce mouvement pendulaire. Sur la table, toujours le même curieux chandelier, avec ses quatre bougies allumées. Le silence me perce les tympans. Je sens la nuit autour de moi qui bouge. Un mouvement léger, à peine un frôlement de l'air glacé.

Alors que je m'approche d'une troisième cabane, j'y perçois un chant, ce que je n'ai pas entendu ailleurs. Ils sont une dizaine autour de la table sur laquelle est posé un objet encore plus étrange. Une barre de métal aligne neuf petits bulbes de bronze dont un, je commence à le comprendre, doit être plus gros que les autres. Quatre flammes semblent rythmer de leur danse incandescente le cantique des convives réunis. Un visage retient soudain mon attention. C'est un petit garçon, perdu dans l'assemblée des adultes. Ses grands yeux noirs me fixent. Il ne parvient pas à détacher son regard de la fenêtre. Personne ne fait même attention à lui quand il ouvre la bouche, manifestement terrorisé. Je redoute le pire. Mais rien ne se passe. Le cri reste lové dans sa gorge. Je remarque qu'il tient en main un objet. C'est une petite toupie colorée, qu'il serre jusqu'à avoir les jointures des doigts blanches. Il se crispe sur ce jouet rond et ventru, les yeux fermés, la tête baissée. Quand enfin il rouvre les paupières, la vision dans la nuit a disparu. Le malin s'est écarté de sa maison. Il vient de tous leur sauver la vie et ils continuent à manger.

Une lumière plus vive s'échappe d'une fenêtre du bâtiment voisin. Je me glisse le long de la façade pour violer à nouveau l'intimité du lieu. Ce sentiment est assez grisant car j'ai l'impression de posséder toutes ces vies, de dérober les instants qu'ils croient garder pour eux. Je m'imagine en fantôme, passant à travers les murs, me tenant parmi les vivants sans que l'un d'eux soupçonne ma présence. Contrairement aux autres pièces que je viens de voir, celle-ci est abondamment éclairée. Toute une tablée hétéroclite est occupée à manger. Au mur brûlent des lampes à huile, sur un buffet se consument de grosses bougies de cire jaune. Dans l'âtre, un feu projette sur les murs un crépuscule d'été, tout en or et pourpre. Je cherche des yeux le chandelier à neuf branches que je finis par découvrir, éteint, dans un coin de la pièce. Seules quatre bougies sont fichées dans les socles. Dans l'air court un rire qui rebondit sur toutes les bouches. Ici encore, la joie fait briller les yeux. Ici non plus, nous n'avons jamais mis les pieds. Je voudrais m'attarder à la chaleur de ce théâtre, mais déjà la cabane suivante m'appelle d'une lumière douce et fragile.

L'espace entre chaque bâtisse me rejette dans les ténèbres bleues, comme l'océan entre autant d'îles. Je m'arrête soudain dans cette immensité opaque. À droite, une ombre a bougé, bientôt rejointe par une deuxième. Un groupe de silhouettes obscures glisse sur mes pas. Où que se porte le regard, je vois la nuit bouger. Ai-je donc si peu de temps ? Des formes sans visage se collent aux murs des maisons, sous les porches. La présence est tapie et patiente. Son haleine fétide se répand dans la brise. Je sens mes pieds collés au sol, incapables du moindre pas. Il y a sans doute dans la cabane proche un chandelier à neuf branches qui attend que je compte ses bougies. J'ai beau tirer sur ma jambe, elle refuse de m'obéir. Il peut se passer une éternité avant que je bouge.

Mais le sort en décide autrement. La porte de la cabane toute proche s'ouvre, me frappant de plein fouet d'un rai de lumière jaune. Je bascule dans l'ombre mais trop tard. La vieille femme qui se tient ainsi sur le seuil trébuche à son tour, fauchée par une rafale de mitrailleuse. Tout s'accélère. L'air ambiant a littéralement éclaté, comme une boule de verre qu'on aurait jetée à terre. Les formes tout à l'heure sans visage sortent de l'ombre. Les soldats ajustent leur casque, font claquer la culasse de leur mitraillette, lancent des injonctions dans un allemand guttural. Toujours collé à la neige boueuse, je me décide à entrer en scène. Mon rôle a été écrit, il faut que je le joue. Je presse mes hommes de rassembler les villageois. Les portes, une à une, s'ouvrent, laissant s'échapper dans la nuit des flots de lumière. Des coups de feu retentissent en guise de sommation. Ces hommes et ces femmes que j'ai vus rassemblés tout à l'heure autour d'une table sont à présent à genoux dans la boue, grelottants et effrayés.

Je participe moi-même à l'opération, courant de cabane en cabane. Dans l'une d'elles, je découvre un vieillard tremblant, qu'un soldat menace de son arme. Le vieil homme montre ses jambes, grêles et probablement paralysées. La mitrailleuse crépite, soulevant de son siège le corps décharné. Je poursuis mon inspection. Au bout d'une demi-heure, tout le monde est rassemblé sur le terre-plein qui dans le hameau sert de place. Je veux encore voir ces visages qu'éclairaient si joyeusement les flammes des chandeliers, m'en imprégner. Ils ne sont maintenant que de pâles copies, la peau bleuie par le froid. Ou est-ce l'éclat de la lune qui les berce un dernier instant ? Les ténèbres ont agrandi leurs yeux, creusé leurs traits. Dans la nuit, nous ne sommes tous que des spectres. Ce sont déjà des cadavres qui sont agenouillés devant moi. Ils ont compris le sort qui les attend. Car on leur a parlé de ces hommes en noir avec deux petits éclairs d'argent au revers du col. Mais aucun ne voulait y croire. Moi aussi je refusais d'y croire. Jusqu'à ce que je sois désigné par l'*Obersturmführer* pour mener à bien la liquidation d'un *shtetl* au nord de Czestochowa. Alors me reviennent en tête toutes les théories raciales, les brimades, les étoiles, les noms de Treblinka et Dachau. Enfin je me dégoûte, enfin je me fais honte. Est-ce que tous ceux qui m'ont précédé ont connu ce même sentiment ? Il faut d'abord culpabiliser pour arriver à se dire que ce n'est pas notre faute. Je ne suis qu'un soldat qui ordonne à d'autres soldats. Dans quelques générations, on dira qu'il fallait des hommes sages pour arrêter la boucherie. Mais ce ne sera pas moi. Je serai juste de ceux qui regrettent de n'avoir pu faire autrement. Voilà, c'est dit. Je ne les sauverai pas. Ainsi s'achève mon plaidoyer muet pour le peuple juif.

D'un signe de tête, je donne l'ordre d'en finir. Les mitrailleuses crépitent une dernière fois dans la nuit polonaise alors que je détourne les yeux. Je fais quelques pas, une dernière lâcheté, pour ne pas entendre les os éclater sous l'impact des balles. Après cette exécution sommaire, les soldats mettent le feu aux toits de bois, non sans avoir pris soin d'emporter un pauvre butin. L'incendie projette une lueur rubis dans la nuit qui touche à sa fin. L'amas de corps sur la place fume sous la chaleur du brasier. Une odeur de cochon brûlé flotte dans l'air. Mais l'aube voit bientôt apparaître les cendres grises du village. Les masures légères ne sont plus qu'un tas de poutres noircies. La nuit, elle, n'est plus qu'un souvenir. Une fine neige s'est mise à tomber et recouvre les braises froides. Je fais quelques pas encore avant de donner l'ordre à mes hommes d'enterrer les corps. Cette nuit, une nouvelle flamme s'est éteinte en Europe.

Mon pied soudain glisse sur un objet dissimulé à moitié par la fange. Je fouille la boue du bout de ma botte pour découvrir une toupie colorée. Je repense au petit garçon qui la serrait si fort contre son cœur. Je pense au chandelier à neuf branches et à ses quatre bougies. Un frisson parcourt mon corps. Je me presse jusqu'à la tombe improvisée, fosse creusée dans la terre meuble des champs. Je scrute les corps, raides et gonflés par la chaleur de l'incendie. Je compte avec frénésie les dépouilles déjà amenées sur place. Je dévisage ceux que les soldats transportent en se couvrant la bouche d'un mouchoir. Je cours jusqu'au village car je veux en être sûr. Le jour se fait peu à peu dans mon esprit. Je poursuis mes allées et venues entre la fosse et le village. Nul n'y prête attention. Je ressens une vive douleur à la main. Je baisse les yeux et, contre mon cœur, je presse ce jouet jusqu'à avoir les jointures des doigts blanches. Je jette la petite boule de bois dans un tas de planches calcinées. Son propriétaire n'en a plus besoin. J'espère qu'il est loin du village à présent. Je souris pour moi-même en repensant à ses grands yeux noirs qui me regardaient. Eux qui seuls avaient vu dans la nuit. Je suis fier d'en avoir laissé échapper un. Je suis fier d'avoir manqué à mon devoir.

ACHEVÉ D'IMPRIMER
EN NOVEMBRE 2002
SUR LES PRESSES DE AGMV-MARQUIS
MONTMAGNY, CANADA